D0239076

GERVAIS POMERLEAU

Les
Colères de l'Océan

ROMAN

HUMANITAS
nouvelle optique

PREFACE

Au XVIIe et XVIIIe siècle, plusieurs nations, entre autres le Portugal, l'Espagne, l'Angleterre et la France se disputèrent successivement l'hégémonie des mers. Les nombreux conflits créent une marine de guerre qui emploie beaucoup de monde.

Le commerce des épices, de l'or et de l'ivoire développe en même temps une flotte marchande qui sillonne les mers du monde. Il faut protéger le commerce contre ces conflits entre pays, tout en faisant face à la piraterie qui ralentit ces nombreux échanges commerciaux.

La grandeur d'un pays se mesurait souvent à la terreur que sa flotte faisait régner sur les mers. C'est ce qui fera dire à Antoine Marin Lemierre (1723-1791) «Le trident de Neptune est le sceptre du monde». Le commerce se développait et créait des monopoles que les pays défendaient jalousement.

On utilisait la marine de guerre mais on armait également les navires de commerce. L'imagerie populaire nous représente souvent des tableaux où nous voyons des frégates sortir de la brume pour canonner l'adversaire et l'envoyer par le fond. Dans un tel climat d'insécurité, il faut maintenir sur les navires une discipline de fer pour prévenir la mutinerie ou toute défection des équipages.

La vie était difficile pour ces marins qui devaient composer avec la rudesse d'un métier dont on ne pouvait prévoir les dangers qui surgissaient de toutes parts, conflits intérieurs, intempéries, attaques des ennemis, et naufrages. Il fallait se forger une identité propre, à toute épreuve pour traverser ces difficultés innombrables, pour survivre.

C'est ainsi que graduellement les hommes de mer en viennent à voir dans le quotidien des signes qu'ils perçoivent comme des présages; tout devient matière à spéculation et c'est ce qui fait qu'encore ajourd'hui, les marins sont considérés comme étant les gens les plus superstitieux qui soient.

Mais il n'est pas facile de passer sans encombre au travers des difficultés que l'on rencontre en mer. Nombreux sont ceux qui paient de leur vie ces aventures maritimes. La plupart de ceux qui survivent gardent malgré tout l'espoir de connaître à nouveau ces aventures qu'ils ne peuvent trouver que sur la mer. Il faut aimer la mer, la découvrir et la comprendre pour continuer de vivre avec elle dans de telles conditions.

Au fil des pages des *Colères de l'Océan*, nous découvrons tous les aléas d'un métier passionnant qui n'est pas de tout repos. Le jeune James Galloway, orphelin, qui traînait dans les rues de Bristol en Angleterre, connaissait le dénuement, la pauvreté et la profondeur de la misère humaine. La lutte pour la survie était, pour lui comme pour tant d'autres, quotidienne. Il voulait sortir de cette misère, découvrir de nouveaux horizons et se sentait, pour cela, appelé à l'aventure maritime.

Ses mensonges, ses vols pour se trouver une place comme mousse ne seront que des moyens passagers pour entrer dans ce monde inconnu. Les privations ne l'abattront pas, mais l'obligeront à se forger un caractère, une droiture qui, avec l'apprentissage et l'expérience, feront de lui un marin de premier ordre. Il connaîtra mieux la misère humaine mais ne se laissera pas écraser par elle. Il deviendra l'homme que la mer apprivoise pour continuer une vie d'aventure avec elle.

Gervais Pomerleau fait preuve, dans ce récit, de beaucoup de souplesse et d'une profonde connaissance des hommes qui vivent dans cet univers marin. Il connaît la mer et non seulement d'une manière livresque mais pour avoir côtoyé et aimé les hommes qui pactisent avec elle chaque jour. Son récit ne se termine pas avec ce livre. Ce dernier est au contraire un tremplin pour nous amener à découvrir des gens qui ont fait de la mer leur quotidien.

En effet, avec *Les Colères de l'Océan* s'ouvre l'épopée des *Chevaucheurs de Vagues* qui nous fera mieux connaître et apprécier des gens qui, sur un frêle esquif en forme d'archipel, vivent de et par la mer à cœur de vie, les habitants des Iles-de-la-Madeleine. Il y a, cette année, deux cents ans que les Madeleiniens ont décidé d'habiter leur archipel à demeure. Avec cette épopée qui commence, l'auteur apporte son témoignage sur la vie de ces gens.

«Dans notre métier, disait un vieux marin, il faut s'attendre sans cesse à perdre la vie, mais il n'est jamais permis de perdre la tête.»

La mer, on ne peut pas la dompter. On ne peut davantage prévoir les soubresauts de la vague, la tempête qui se développe avec intensité pour devenir ouragan, le grain, ou les avaries de toutes sortes qui guettent la moindre baisse de vigilance chez les aventuriers de la mer. Au travers de tout cela, le marin doit garder son sang-froid, garder sa tête et employer tous ses muscles... et remettre la balance dans les mains de Dieu ou dans celles d'Eole.

Le 26 octobre 1992,
Frédéric Landry, Capitaine de marine
Directeur du Musée de la Mer
Havre-Aubert, Iles-de-la-Madeleine

Pour Laurette et Fernand,
aussi généreux que la mer,
qui m'ont accepté dans leur sillage,
ma famille d'adoption aux Iles.
G.P.

«Cette histoire est du temps jadis.
Une vague me l'a narrée...»
Jean Richepin

CHAPITRE I

«Homme libre, toujours tu chériras la mer!
La mer est ton miroir; tu contemples ton âme
Dans le déroulement infini de sa lame...»
Charles Baudelaire*

BRISTOL, août 1741

Il restait moins de dix heures avant de lever l'ancre de l'Essex lorsque le commandant, «le vieux» comme l'équipage l'appellerait rapidement, poussa la porte du Spindrift, le pub où il savait trouver son maître d'équipage, Henry Gilbert.

Le commandant Prowe ne se préoccupait pas de son homme de confiance. L'heure avançant l'inquiétait. L'embauche du personnel qui monterait à bord de la frégate n'était pas complétée.

Le second John Bowsprit n'avait pas encore montré le bout du nez. Il avait beau jouir de la confiance du chancelier de l'Echiquier, il n'avait pas celle de Prowe. Un officier élevé dans les fastes de la cour de France n'avait pas, dans l'esprit du commandant de l'Essex, sa place sur un vaisseau affrété par Sa Majesté le roi George II. Il l'avait encore moins si le commandant de cette frégate s'appelait William Prowe.

Il se méfiait de Bowsprit même s'il ne l'avait jamais rencontré ni n'en avait entendu parler avant que le roi confirme sa nouvelle commission. Il avait la conviction qu'un piège se cachait sous ce manège. Tout le monde savait que Robert Walpole avait été la conscience du roi Gorge et maintenant, il dirigeait l'empire britannique à la place de George II.

On était en guerre de Succession avec l'Autriche depuis quelques mois et la France y était impliquée jusqu'aux oreilles. Qu'est-ce qui avait bien pu triturer le pois à soupe tenant lieu de

13

cerveau à Walpole pour dénicher un second endoctriné par les Français, pour une telle mission? William Prowe avait voulu refuser ce second, mais le roi avait été formel: c'était une condition *sine qua non* à cette commission. Prowe l'aurait juré, il y avait anguille sous roche et cette anguille s'appelait Walpole.

Depuis exactement vingt ans, depuis 1721, Walpole avait mené une politique pacifiste. Dans l'esprit de Prowe, Walpole n'avait rien du tacticien en encore moins du combattant ou du conquérant. Au plus, c'était un commerçant. Prowe le détestait et ne se souciait pas de savoir que c'était grâce à lui s'il avait obtenu cette commission.

Il avait perdu son vaisseau précédent, le brick Norfolk aux mains de pirates hollandais qui, sans ménagement, l'avaient coulé sous ses yeux horrifiés. Le sabordage n'avait nécessité qu'une salve de quelques canons, les Hollandais ayant eu l'aide sournoise des tarets, ces maudits vers taraudeurs. C'était quand même eux qui l'avaient privé du Norfolk, on ne l'en ferait pas démordre.

Heureusement pour lui, la proue, profondément minée par les vers taraudeurs s'était détachée de la coque avant que le Norfolk ne sombre. Ainsi, il avait pu récupérer sa figure de proue.

S'il avait eu cette nouvelle commission, c'est qu'il avait su prouver au roi qu'il était bon commandant de bord. Ça, personne ne pouvait le nier, pas même le Premier ministre Robert Walpole. Cette mission outre Atlantique prouvait sans conteste qu'il avait la confiance de son souverain.

William Prowe avait peine à avancer dans ce pub où se mélangeaient les odeurs de varech et de tabac, de bière et de transpiration, où il risquait à tout moment de s'assommer aux solives, tant le plafond était bas. Décidément il ne comprendrait jamais les goûts du maître d'équipage pour ce tripot. Habitué depuis longtemps à la saveur généreuse et corsée du rhum et aux vins de Madère auxquels son père l'avait tôt initié, Prowe comprenait mal qu'on prenne plaisir à boire de la bière.

Le patron du pub avait beau avoir nommé son tripot «Spindrift»*, Prowe préférait de loin voguer dans les embruns marins

* Voir le lexique en fin de volume.

qu'il chevauchait depuis son enfance, plutôt que de se mouvoir dans les brumes empuanties de ce pub. Il était à se demander s'il ne renoncerait pas pour rentrer prestement au port où il retrouverait sa frégate ensorceleuse lorsqu'enfin, il aperçut le maître d'équipage, le premier sous-officier, au fond de la salle, attablé avec trois hommes éméchés.

Dès que Gilbert eut aperçu son patron, il lui fit signe. Il leva deux doigts en l'air puis, du pouce, désignant la tablée, il fit un clin d'œil. Il ne l'invita nullement à prendre place, de peur de rompre le charme créé par les chopes de bière déjà ingurgitées. De toute façon, William Prowe connaissait le langage gestuel de son maître d'équipage. Deux hommes avaient été embauchés, déjà à bord de la frégate en train de cuver leur bière et, avec cette tablée, le compte serait complet.

Soulagé, Prowe bifurquant reprit le chemin qui le ramènerait dehors, là où il serait à nouveau envoûté par l'odeur suave de la marée que la côte proche charroyait, subtil mélange de varech, de sel et de goémon, parfumé d'embruns. Ne manquait plus que le mousse, mais il n'aurait pas de difficulté à le trouver. Dès qu'un vaisseau levait l'ancre, les jeunes garçons arrivaient comme un voilier de fous de bassan repérant un banc de harengs. Des orphelins, des sans-abris cherchant l'aventure. Au pis aller, s'il ne trouvait pas, le commandant était prêt à s'en passer.

Les affiches placardées aux endroits stratégiques de Bristol avaient leur travail, même si on avait dû forcer le recrutement et que certains officiers jugeaient ces méthodes par trop déloyales, l'important c'est que Prowe avait son monde.

Tout le monde connaissait William Prowe. Même ceux qui n'avaient jamais embarqué. C'est ainsi qu'un gamin sans âge défini, pieds nus, les vêtements en lambeaux, couvert de crasse, vint se jeter délibérément sur lui. Ainsi, le commandant Prowe ne pourrait pas feindre de ne pas l'avoir vu. Plus tard, le garçon raconterait l'histoire à sa façon.

— Je n'allais pas attendre que d'autres viennent me rafler sous le nez cette occasion de voyage, sans craindre pour les prochains mois, avec un endroit où dormir, de la nourriture à satiété et connaître l'aventure. Quand je l'ai vu sortir du Spindrift, je n'ai pas hésité un instant et je suis allé me jeter droit sur lui. Je savais qu'il m'engueulerait.

N'appelait-on pas ouvertement «Old Roaring» le commandant Prowe? Ça ne préoccupait nullement l'aspirant-mousse. Il était prêt à tout pour être du voyage. Mais il n'aurait jamais pensé recevoir le coup de poing que le commandant lui balança.

— Sale petit morveux, regarde donc où tu mets les pieds!

Pour toute réplique, après avoir essuyé le sang qui coulait de son nez, l'enfant rétorqua:

— Je veux être mousse sur l'Essex, être du voyage.

Avant de reprendre sa route, le commandant Prowe éclata de son rire amer. Croyant qu'il s'agissait là d'une fin de non-recevoir, le gamin enchaîna:

— J'ai le pied marin; j'ai fait la pêche sur les bancs de Terre-Neuve il y a deux ans.

C'était faux, mais c'est tout ce qu'il avait trouvé. Quant à avoir le pied marin, n'étant jamais monté sur un bateau, il ignorait s'il l'avait. Ce qui ne l'empêcherait pas de dire au quartier-maître, après qu'ils se soient liés d'amitié:

— Si j'avais dit la vérité, je n'aurais pas eu la place.

S'il avait su à ce moment ce que l'avenir lui réservait, James Galloway n'aurait peut-être pas imploré le commandant de le prendre à son bord.

*

Lorsque John Bowsprit arriva au port et qu'il découvrit l'Essex ancrée dans la rade, il y reconnut rapidement l'œuvre des charpentiers navals français. La France avait de mauvais marins, personne ne le contestait, mais pour ce qui était de ses charpentiers navals, elle n'avait rien à envier à personne. Surtout pas aux Anglais.

L'ancien commandant de l'Essex l'avait probablement prise aux mains des Français et en avait changé le nom, conclut le second. Pour en avoir entendu parler à la cour de France, Bowsprit savait que c'était coutume chez les corsaires, surtout en temps de guerre, de récupérer les vaisseaux des pays belligérants.

L'Angleterre le faisait, la Hollande, la France, l'Espagne et les autres.

Heureusement, il y avait de moins en moins de pirates, ce qui facilitait la navigation. Il y avait toujours des corsaires. Mais les mers sillonnées par les différents pays d'Europe avaient été, en partie, nettoyées des pirates.

Bowsprit remarqua d'emblée que l'on avait récemment procédé à un abattage en carène. Ainsi, la frégate serait plus agile sur les flots, plus souple privée de ses adhérences. Les calfats avaient revisé sa coque. Pas de voies d'eau par conséquent, ou du moins pas qui soient majeures. Au plus, quelques suintements en attendant que les bordés neufs aient fini de renfler.

Décidément, si les chantiers navals anglais ne savaient pas construire une frégate avec l'allure et la souplesse de celles des français, on y savait au moins la remettre en état. Tant de travail effectué, remarqua le second, ne pouvait que signifier qu'il s'agissait d'une mission de première importance.

Il avait ordre de se présenter au Commandant William Prowe à bord de l'Essex pour une mission outre Atlantique, c'est tout ce que Robert Walpole lui avait dit. Il n'était pas comme son nouveau commandant, autrement il aurait fait son enquête. Prowe ne disait-il pas qu'il était préférable de savoir à qui on avait affaire, avant de lui faire face? Bowsprit n'avait pris aucun renseignement sur monsieur Prowe et son vaisseau.

Il savait, comme tout le monde, que l'ancien commandant du vaisseau, un certain Fainstath, avait été pris dans un duel où il avait perdu la frégate et la vie. Il s'agissait, assurait-on, du résultat d'une accusation de tricherie au jeu et le commandant Fainstath n'avait pas été à la hauteur.

John Bowsprit savait que jamais un chantier naval français n'aurait donné le nom d'un comté anglais à une frégate issue de France. Alors, comment avait-on pu changer le nom du ce vaisseau?

D'autant plus étonnant que le malheur avait souvent frappé les vaisseaux dont le nom avait été changé. D'ailleurs, les marins évitaient généralement de s'embarquer sur ces vaisseaux. Les gens de Bristol savaient pertinemment que «Essex» n'était pas le véritable nom de cette frégate. Comment le commandant Prowe s'y prenait-il pour constituer son équipage? Le second aurait aimé savoir. Il ne tarderait pas... Même ce qu'il aurait toujours voulu ignorer. Dès que l'ancre serait levée, commencerait un apprentissage qui n'avait rien à voir avec celui des écoles navales.

En scrutant le trois-mâts, après avoir porté son sac de marin sur le pont, le second trouva le véritable nom de la frégate gravé au couteau en maints endroits, souvent accompagné d'initiales, celles de l'homme tenant le couteau, supposa John Bowsprit.

Comme pour confirmer les gravures, le cabestan demeuré original portait l'inscription du chantier de Brest, la mention «Louis-Philippe» accompagnée du blason de la maison d'Orléans. C'était donc, déduisit John Bowsprit, le vaisseau qui avait marqué, douze ans plus tôt, la naissance du duc d'Orléans, le fils du roi de France.

L'officier arpenta le vaisseau, admirant la finesse de la sculpture française. Le travail n'avait pas la délicatesse émergeant du règne du Roi-Soleil, mais malgré ses origines anglaises, Bowsprit ne pouvait nier l'évidence. Surtout lui qui avait reçu son éducation outre Manche. Ses précepteurs, pour éviter toute représaille étaient allés jusqu'à franciser son nom, ce qui l'horripilait maintenant qu'il avait quitté la France. Son nom n'avait jamais été «Beaupré», mais Bowsprit. John Bowsprit!

Il en était là de ces considérations, lorsqu'il entendit une voix gutturale venant de la chaloupe l'ayant emmené jusqu'au vaisseau. Penché par-dessus bord, il vit le rameur caresser la figure de proue. Curieux de voir comment on avait complété la proue, le second, réempruntant l'échelle, eut le souffle coupé en apercevant le corps qui avait attiré le rameur. Le reconnaissant d'emblée, il ne suivit pas les formes, de peur de voir le visage qui, il l'aurait juré, arborait l'éternel sourire démoniaque.

Jamais Louis XV n'aurait accepté de voir la Gorgone maudite sur la frégate qui portait le nom de son fils. La figure de proue ne représentait-elle pas l'âme du vaisseau? N'était-elle pas intimement liée à sa «vie»? Il fut cependant étonné de remarquer que l'immonde figure portait une toge alors que, selon la tradition, les plus belles figures de proue représentaient des femmes voluptueuses ou des sirènes. On affirmait même que les femmes nues étaient porteuses de chance et protégeaient le navire du danger. Alors, pourquoi l'avoir sculptée avec une toge?

Même s'il ne la regarda que sommairement, le second remarqua que l'odieuse Gorgone avait été nouvellement installée, ce qui justifiait ses appréhensions. On avait changé la figure de proue et elle n'était pas de facture récente, la couleur du bois le confirmait. On l'avait donc prélevée sur un autre vaisseau. C'en était plus qu'assez pour donner la poisse.

Si le vaisseau qui avait originellement arboré cette figure de proue avait brûlé, l'équipage de l'Essex n'allait-il pas périr par les flammes? S'il avait coulé, ne serait-on pas condamnés à la noyade collective? C'en était trop pour le lieutenant.

Il résolut de retourner immédiatement à bord pour récupérer son sac et s'éloigner au plus vite de ce vaisseau qui, à son insu, taquinait la mauvaise fortune. Si l'équipage était condamné à périr, il était, lui, déterminé à demeurer bien en vie. Sa détermination était d'autant plus forte que, le Premier ministre l'en avait assuré, ce voyage était son dernier en tant que second. Il serait patron au prochain.

Personne ne pourrait l'accuser de lâcheté. Tous les marins du monde savaient qu'une figure de proue appartient à un seul vaisseau. Elle est unie à lui, à la vie, à la mort. S'embarquer sur une frégate rebaptisée dont on avait enlevé la figure de proue pour lui en substituer une venant d'un autre vaisseau, ce n'était plus tenter le mauvais sort, mais le provoquer délibérément. Comme si, après s'être passé la corde au cou, on poussait sur le levier ouvrant la trappe pour en connaître la résistance.

Après avoir jeté son sac de marin sur son épaule, il revint au pavois où il se retrouva nez à nez avec William Prowe qui finissait de monter l'échelle.

— Tassez-vous de mon chemin, vociféra John Bowsprit.

— Sur ce vaisseau, je ne reçois d'ordre que de Dieu et du roi, lui fut-il répondu. Seriez-vous l'un ou l'autre? Que faites-vous sur mon vaisseau? Qui êtes-vous?

— Vous êtes le commandant Prowe? William Prowe?

— Je suis! Mais, ajouta le commandant, je vous ai moi-même posé des questions. Je n'ai toujours pas entendu votre réponse.

A moins que vous ne préfériez être jeté à fond de cale et mis aux fers avant le départ...

La fuite étant désormais impossible pour lui, le lieutenant reposa son sac et tendit son ordre d'embarquement signé de la main de Robert Walpole, ce que le commandant pris de travers.

— Ne savez-vous pas monsieur Bowsprit, que l'Angleterre est une monarchie. Si vous avez vos entrées auprès du Premier ministre, c'est au roi que vous devez vous adresser en matière de marine? Je prends mes ordres et ne rends des comptes qu'au roi.

«Maintenant, j'imagine que vous voulez rejoindre votre chambre, le timonier ira vous montrer. Installez-vous, monsieur Bowsprit et, si vous avez été éduqué chez ces messieurs aux poignets faibles d'outre Manche, prouvez-le. Portez des vêtements qui correspondent à votre rang. Je ne veux plus vous voir dans cette tenue, que ce soit compris.»

Le commandant avait déballé son propos en hurlant, sans reprendre son souffle. Même sur les quais, tout le monde entendit l'échange acrimonieux et nombreux étaient ceux qui riaient aux éclats, certains disant que le vieux était en train de mettre le second à sa main.

*

Plus tard, lorsqu'il se serait lié d'amitié avec Michael Bulwark, le mousse le ferait rire en racontant comment il avait passé son temps pendant que William Prowe enguirlandait le second.

— Le vieux m'a reviré en disant d'aller faire mes bagages et de me présenter sur le pont à dix-huit heures trente pour l'embarquement, parce que les amarres seraient larguées à vingt heures. Si je n'étais pas là à l'heure, je savais que je resterais sur le quai.

— Ça, petit, tu peux en être convaincu. Il est coriace comme une peau de chien de mer.

Faire ses bagages, c'était vite dit, pour le mousse, sans parents, habitué à voler la pâtée des chiens ou se nourrir dans les fonds de cours, coucher à la belle étoile ou, quand la nuit était trop fraîche, sur les bancs de la cathédrale.

— J'alternais avec l'église Saint-Jean. J'aime bien la cathédrale et l'église Saint-Jean, il y a beaucoup de recoins pour s'y cacher. J'ai même couché quelques fois dans la chapelle du Lord Maire. Mes bagages! Mes seuls vêtements, je les avais sur le dos.

«J'ai demandé la charité; on me l'a refusé. Je suis entré dans les boutiques et j'ai volé: deux pantalons, des souliers, deux chemises, un bonnet et un caban chaud. J'ai tout ramassé et j'ai jeté ça dans une poche que j'ai trouvée au port.

«J'ai mangé en volant encore. Et chez le Lord Maire en plus. Il mange bien, le gros porc. J'ai été pris par une vieille servante qui a menacé de me dénoncer et de faire venir les gardes. Alors, pour m'en débarrasser, je me suis débarrassé aussi de mon pucelage. C'est une bonne affaire.

— Tu as de drôles de façons de prendre les choses, toi.

— Oh, ça a eu du bon, elle m'a fait asseoir dans une barrique d'eau chaude. Pour ôter la crasse, qu'elle a dit. Elle m'a frotté partout et, quand j'ai été sorti du tonneau, elle a sucé l'eau qui ruisselait partout sur moi. Salope!

Le quartier-maître qui n'en croyait pas ses oreilles, se mit à rire du bout des lèvres, puis de plus en plus franchement.

— Je me suis dit que ça ferait plaisir au vieux de me voir arriver propre. Quand je pense à la vieille chipie, quand je lui ai dit que j'étais mousse sur l'Essex, elle a dit que j'étais privilégié d'avoir le sexe avant et l'Essex après. Et elle s'est mise à rire. Vieille folle!

«Elle m'a dit qu'une femme attendait les marins dans tous les ports et avec elle, j'en avais maintenant une qui m'attendrait à Bristol... Elle va attendre longtemps!

«Après s'être couchés sur la grosse table dans la cuisine et qu'on ait fait ça, elle m'a redonné à manger pour me refaire des forces, qu'elle disait. Et elle voulait remettre ça! Je l'ai repoussée, j'ai pris ma poche et je suis ressorti. Je me suis appuyé contre la résidence du Lord Maire et tout le monde me regardait... j'ai réalisé que j'étais encore tout nu.

«Je me suis dépêché de m'habiller, j'ai mis un pantalon et une chemise, j'ai aussi mis les souliers, mais je les enlevés parce qu'ils me faisaient mal aux pieds. J'ai pris mon sac sur mon épaule et, en sifflotant, je suis parti vers le port.

«Quand j'y suis arrivé, j'ai vu l'Essex ancré dans la rade et j'ai repensé à ce que m'avait dit la vieille couette. Je me suis mis à rire à mon tour. Les gens m'ont regardé de travers en pensant que j'étais fou.

«J'ai crié pour demander au vieux l'autorisation de monter à bord, ce qu'il m'a accordé. Il m'a envoyé chercher par une baleinière de l'Essex. J'étais fier, je voyais les garçons de mon âge sur les quais; la jalousie leur crevait les yeux. Ils auraient bien voulu être à ma place. Ils rêvaient d'aventures. Moi aussi. C'est pour ça que je me suis enrôlé.»

Il fallait cependant qu'il apprenne son métier de mousse, servir chacun sans mordre personne et surtout, apprendre le vaisseau. Il avait prétendu avoir de l'expérience. S'il fallait que le commandant apprenne qu'il avait menti, qu'il ne savait pas ce qu'étaient les haubans ni le pavois, qu'il ne connaissait rien du régime naval, il aurait droit à une dérouillée magistrale.

Il y eut droit...

CHAPITRE II

Quelques minutes avant que l'ancre ne soit hissée, ne sachant à quel endroit poser son sac, le mousse s'approcha du vieux. Il supposait que si le commandant s'était su épié, il n'aurait pas parlé comme il le faisait.

Souvent, la nuit, dans les ruelles de Bristol, il avait entendu des hommes parler ainsi, mais à des filles; pas à un vaisseau s'apprêtant à prendre le large. Le commandant flattait la carène de l'Essex, parlant à voix feutrée. James Galloway était convaincu que c'était bien à la frégate que Prowe parlait. Personne d'autre ne pouvait l'entendre.

— Tu vas voir comme on va bien s'entendre, tous deux. C'est notre première traversée ensemble. Je te ferai visiter des pays que tu n'as encore jamais vus. Si tu savais comme je suis heureux d'être avec toi, combien j'aimerais être à la place de l'océan, le chanceux qui caresse tes chairs les plus intimes.

«Oui, je suis jaloux de l'océan. Je voudrais être seul à te caresser, te prendre de partout à la fois, t'aimer jusqu'à la jouissance, te faire frémir de plaisir. Mais je dois te partager. Je n'ai que toi à qui donner ma sève et ma flamme et, malgré moi, je suis contraint de te partager avec la mer.»

«Pousse, mais charrie pas, le vieux», murmura le mousse.

On eut facilement cru que William Prowe était en plein délire, attendant la jouissance, la narine dilatée, le souffle court, la main frémissante, le teint cireux, le râle de l'assouvissement lui étreignant la gorge.

Derrière lui, le mousse se mordait les lèvres pour ne pas rire. Ce n'est pas l'envie qui lui faisait défaut, mais il n'osait pas. Aussi longtemps que le vaisseau serait au port, le commandant pouvait, s'il le voulait, le passer par-dessus bord et en prendre un autre. Il ne les voyait que trop bien, tous ceux qui auraient donné mer et monde pour prendre sa place.

Il se taisait pour voir jusqu'où le commandant irait dans sa démence, se forçant pour ne pas rire; il serait bien temps de rire quand l'ancre serait levée. En outre, il aurait tout le temps de le faire. Le vieux continuait à avancer, suivi à la trace par le mousse, avec la fidélité de son ombre. Il s'avança vers la proue, caressant toujours la carène.

— Je t'ai fait refaire une beauté; j'ai même changé ta figure. Imagine, on t'avait mis une licorne à la proue. Ces français ne connaissent pas la beauté. J'ai réglé ça à ma façon. Comme les charpentiers refusaient de te fixer cette figure de proue, je l'ai fait moi-même. Maintenant, plutôt que ce stupide cheval à corne, je t'ai installé la figure de mon ancien vaisseau. C'est tout ce que j'ai réussi à en sauver. Elle s'appelle Méduse.

Le mousse ne savait pas encore ce que représentait la Méduse. Ni ça, ni rien d'autre, reconnaîtrait-il plus tard. Outre le fait qu'il avait parfois faim et parfois sommeil, il ne savait rien. Le second et le quartier-maître allaient tout lui apprendre. Mais pour le moment, il continuait à épier le commandant.

— Quand je dis que je suis jaloux de l'océan, ce n'est pas vrai. La mer et moi sommes de vieux complices. Tu n'étais pas encore née que déjà je la chevauchais depuis un bout de temps. La relation entre la mer et moi en est une de longue durée. Il y a longtemps qu'elle et moi nous aimons, que nous jouissons l'un de l'autre, l'un par l'autre, l'un avec l'autre. Je ne peux pas lui en vouloir de te partager avec moi…

C'est à ce moment que le charme s'est rompu. Apercevant le mousse, William Prowe devint écarlate. Le mousse remarqua une étrange similitude entre le teint de l'officier et celui de son uniforme sur lequel couraient des galons d'or. Aucun lien possible avec le rougissement de gêne. Non, cette rougeur-là que le vieux avait au visage, c'était plutôt de la rage. Il fit volte-face balançant sa main aller-retour au visage du mousse.

— On commence à espionner, se révolter contre les règlements avant même que l'ancre ne soit levée? Entre vous et moi, jeune homme, c'est moi qui suis le commandant à bord et j'entends que personne ne déroge à la conduite que je fixe. Est-ce clair?

«La vache!», maugréa le mousse pour lui-même.

Tout ce qu'il voulait savoir, c'était où installer son sac. C'était clair, le commandant venait de prendre le gamin de travers comme une tache de boue sur ses souliers à boucles d'argent.

Le gamin revint à son sac, essuyant une fois de plus le sang qui coulait de son nez. Décidément, il en aurait besoin d'une jolie réserve, à voir la facilité avec laquelle le commandant le faisait couler. Il comprendrait vite que tel n'était pas le cas. Il était passionné de la mer et de sa frégate; il les aimait pour tout ce qu'il détestait. C'était là sa passion, son univers.

Lorsque l'ancre fut levée, pour la première fois la terreur bondit aux tripes du mousse comme un chien affamé. S'approchant, le commandant Prowe plongea ses yeux dans ceux du mousse qui y perçut la débâcle de la colère.

— J'ai appris que vous étiez allé faire vos emplettes aujourd'hui. Je vous ferai comprendre, quand nous serons sortis du port, que je ne veux pas de pirates dans mon équipage. Maintenant, vous allez rentrer les couleurs.

Sans l'expérience qu'il avait prétendu avoir, le mousse resta pantois. Il ne savait pas que, tous les jours, à huit heure du matin et au couchant, il devrait soit hisser les couleurs, soit les rentrer. Le commandant eut alors la confirmation de ses soupçons; l'expérience du mousse sur les bancs de Terre-Neuve, c'était de la frime.

— Vous ne vous exécutez pas? Vous pensez déjà à vous mutiner ou si, par hasard, vous m'auriez menti?

Avant de donner des explications quant aux gestes à poser, le commandant baissa le ton, persiflant davantage qu'il ne prononçait les ordres:

— Vous allez en direction de la poupe, juste derrière le mât d'artimon, vous y découvrirez la brigantine. Vous allez remarquer la drisse du pavillon fixée à la corne. Vous la prenez, et vous tirez dessus vers le bas. Là, vous prenez le pavillon, le détachez, le pliez et me l'apportez.

De plus en plus hébété, le mousse restait planté au milieu du pont, aussi sûrement qu'un mât.

— Je ne sais pas où c'est, monsieur.

Le commandant devint, dès lors, franchement écarlate. Le mousse le regardait, croyant qu'il allait éclater. Jamais, il n'aurait cru que le visage comptait tant de veines. Il n'aurait pas davantage pensé qu'elles puissent être aussi grosses.

Dès que le vaisseau fut sorti du port, William Prowe fit procéder au rassemblement des hommes sur le pont. Ce fut la première leçon du mousse. Lorsqu'il entendrait cet appel, il devrait, au pas de course, se précipiter vers le maître d'équipage. Lorsque l'équipage fut aligné sur le pont, le commandant fit voir à quelle enseigne il se logeait.

— Je n'ai pas pour habitude de punir sans raison. Je veux que vous le sachiez. Mais je tiens à la discipline à bord. Les manquements seront punis du fouet.

«J'ai ici le mousse qui, bien qu'il soit encore un enfant, n'est pas moins sujet à cette discipline. Si votre nom est mis en cause, c'est tout l'Essex qui l'est; et il n'entre pas dans mes intentions d'être mis en cause à terre, pas plus que je n'entends que mon vaisseau le soit.

«Cet après-midi, se prenant pour un pirate, notre mousse a volé dans les magasins de Bristol. Ne voulant pas de pirates dans mon équipage, j'ai réglé avec les propriétaires concernés, pour 8 livres et 40 sols, montant qui sera prélevé, intérêts inclus, sur la solde dudit mousse.

«Mais le fait de payer pour la marchandise qu'il a prise ne m'apparaît pas une punition en soi. Un tel acte mérite châtiment, je sais que vous m'approuvez. Vous aurez, jeune homme, cinquante coups de fouet.

«Ce matin, ce même garçon a prétendu être un matelot d'expérience, pour avoir le poste de mousse à bord de l'Essex. Le mensonge n'étant pas acceptable à bord, je condamne le mousse à dix coups de fouet additionnels.

«L'enfant de chienne!» commenta pour lui-même le mousse. Il comprenait enfin le pourquoi de sa peur. C'était comme s'il avait toujours su que tout finirait par le fouet. Après lui avoir enlevé sa chemise, le quartier-maître Bulwark l'attacha au grand mât.

— Serre les dents. C'est un mauvais moment à passer, mais tu t'habitueras quand tu y sera passé une dizaine de fois.

— Exécution! éructa William Prowe dès que le quartier-maître se fut reculé.

Les coups se mirent à claquer sur le dos du gamin, secs comme une chute subite de grêlons. Il tenta de se concentrer, refusant de demander grâce. Il porta alors sa concentration sur le sifflement du fouet. Chaque coup faisait grimacer l'équipage comme s'ils les avaient eux-mêmes reçus. Ils admiraient l'endurance et le courage du mousse. Même si ce dernier perdit conscience au seizième coup, le maître d'équipage continua à le lacérer de coups tandis que le commandant comptait, jusqu'aux soixante prévus.

— Visiblement, notre mousse a passé l'âge de pleurer. Il a donc passé celui du sein. Je n'ai pas l'intention ni le temps de lui tenir lieu de nourrice; quartier-maître Bulwark, vous êtes désormais responsable de lui et de son apprentissage.

Lorsque le mousse reprit conscience, il était étendu dans un hamac, le dos lui tirant des grimaces, tandis que le quartier-maître, penché sur lui, épongeait les blessures.

— Je pensais t'entendre demander grâce dès le premier coup. Tout le monde, même le vieux, a été surpris de voir comment tu t'en es tiré.

«Que les choses soient claires, petit. Je suis l'un des quatre quartiers-maîtres à bord, mais tu n'as pas affaire aux autres. Je suis Michael Bulwark. C'est ici que tu dois venir pour le branlebas de soir ou, si tu préfères, pour te coucher. De plus, tu dois obéissance au commandant, aux autres officiers et au maître d'équipage. Lui, tu le connais, pas vrai petit?

— C'est celui que vous appelez «Queue-de-rat», je suppose.

– Exactement! Tu vas voir qu'il porte bien son nom. Maintenant je dois nettoyer tes plaies. Je te préviens, ça va brûler. Je vais laver ça à l'eau de mer. Le sel brûle, mais ça cicatrise bien. Après, je mettrai de l'huile de baleine là-dessus.

«Dans deux ou trois jours, ça ne fera plus mal. Enfin, presque plus. Si tu es une couple de semaines sans passer entre les mains de Queue-de-rat, ça aura le temps de bien cicatriser.»

Le mousse trouvait plutôt sympathique le quartier-maître. C'était la première fois qu'on s'occupait de lui ainsi et ces soins incessants lui donnaient une irrésistible envie de pleurer. L'aspersion de son dos à l'eau de mer fut donc une délivrance. Ses larmes pourraient couler librement, Bulwark croyant que c'était le fruit de la douleur. Il prit une corde à l'extrémité de laquelle était noué un cul-de-porc double et la tendit au mousse.

– Mords, petit. Si tu as envie de brailler, te prive pas.

Plus tard, le mousse raconterait les événements à sa façon: «Voir le quartier-maître me dorloter, me pomponner comme une donzelle, me badigeonner comme un cochon sur la broche, je me suis mis à chiâler; comme un sale avorton pleurnichard!»

– Autre chose, petit: tu fais ton travail, tu obéis et si quelqu'un te fait des misères, tu viens me voir. C'est clair?

Puisque ça lui plaisait tellement, le mousse était prêt à promettre tout ce que l'autre voulait, pourvu qu'il cesse ces marques de douceur. Il y avait tellement longtemps que personne ne s'était préoccupé de lui qu'il se sentait mal dans cette situation. Il n'avait pas appris à demander l'aide des autres, ni à se faire protéger.

Il avait appris à voler pour manger, tricher pour gagner, parce que gagner c'est vivre; appris à se cacher quand il voyait les gardes, prendre un minimum de place pour éviter d'être pris, bref, son apprentissage était tout le contraire de ce qu'on tentait de lui enseigner.

«J'avais appris le coup de pied au cul et il me montrait la douceur. J'avais appris les coups de poing ou les claques sur la gueule et il me montrait ce que certains appelleraient la tendresse. J'avais appris le mépris, il me montrait la fierté», raconterait encore, plus tard, le mousse.

Lorsqu'il eut fini de badigeonner le mousse, Michael Bulwark

28

ajouta ses dernières directives, avant de laisser l'enfant reprendre des forces.

— Reste couché pour ce soir, tu ne l'as pas volé. Mais n'oublie pas que demain matin, tu dois hisser les couleurs. Je te montrerai, ce n'est pas compliqué.

Le mousse tenta de se retourner dans son hamac et se retrouva à plat ventre sur le pont.

— Je te montrerai demain à y monter, en descendre et à t'y retourner.

Le quartier-maître eut un geste malheureux. Tentant de prendre l'enfant dans ses bras pour le déposer dans le hamac, la fierté de ce dernier fut froissée.

— Je ne suis pas un sale avorton accroché aux nichons de sa mère. Non mais tout de même!

— Fais à ta tête, je faisais ça pour te rendre service, répliqua le sous-officier en riant.

— Si je ne suis pas capable de retourner là-dedans par moi-même, je dormirai par terre.

— Comme tu veux... Bonne nuit, petit.

Pendant un temps, le mousse tenta à nouveau de remonter dans le hamac. S'il n'avait pas de difficulté à y poser la première jambe, les choses se gâtaient lorsqu'il soulevait la deuxième. Il se retrouvait alors étendu de tout son long, face contre sol.

Il piétina sur place pendant un certain temps puis, lorsque les autres hommes appartenant à la bordée de jour vinrent se coucher, il les épia, l'air de rien.

Ne restait plus qu'à les imiter. Il s'écrasa encore une fois le nez avant de réussir. Fier de cette réussite, il s'apprêta à débarquer pour recommencer, ce qui se traduisit par la catastrophe. Il avait vu les hommes se hisser dans les hamacs, il savait le faire. Mais il ne les avait pas vus en redescendre.

La chambrée résonna d'un rire moqueur. Enfin, le mousse avait une réaction logique sur ce vaisseau dont l'ensemble de l'équipage était normal. Les officiers et les sous-officiers, eux, étaient soit sanguinaires, soit fous. Il se hissa à nouveau dans son hamac attendant que le roulis le plonge dans le sommeil. C'est par une mer calme que se passa sa première nuit à bord.

Cependant, le lendemain matin, peu de temps après le lever du soleil, un vent arrière souffla. Un vent adonnant d'Est-Nord-Est qui propulserait rapidement le vaisseau hors du Canal de Bristol et de l'Avonmouth. L'estomac vide depuis son aventure avec la servante du Lord Maire, le mousse éprouva rapidement des étourdissements et des nausées. Le quartier-maître l'emmena manger.

Il apprit alors le menu établi une centaine d'années plus tôt par Cromwell, qui n'avait pas dérogé depuis: deux livres de bœuf ou de porc par jour ou, à l'occasion, une livre et demi de poisson et autant de ce qu'on appelait du pain, plutôt du biscuit, le tout arrosé d'un gallon de bière. Tous les jours, le même menu.

Pas très reluisant pour des officiers, mais le mousse jurait que c'était meilleur que ce qu'il trouvait dans les fonds de cours où il lui fallait commencer par chasser les mouches, se défendre contre les chiens, et encore, il n'arrivait pas toujours à trouver de quoi calmer les rugissements de son estomac.

Mais il faudrait y avoir goûté comme lui, pour comprendre. Pour lui, cette possibilité de n'avoir pas à quémander son repas, le chercher, c'était extraordinaire. Pour les officiers, c'était la disette; pour lui, c'était l'abondance. Les mêmes mots n'ont pas la même signification pour tous.

Après le repas, Michael Bulwark fit le tour du vaisseau avec le mousse, nommant l'ensemble des parties. Constatant que le gamin était hâve, il obtint à son intention un délai d'une semaine de la part du commandant.

*

Au terme du délai, Michael Bulwark reprit l'exposé. Le mousse découvrit alors que les noms du commandant, du second et du quartier-maître étaient partie intégrante du vocabulaire du vaisseau. La proue ou «prowe» en anglais, le beaupré ou «bowsprit» et le pavois ou «bulwark».

— Tu n'as qu'à te rappeler ça, petit, la proue c'est celle qui, comme le commandant, continue à avancer, indépendamment de ce qui peut se produire; le beaupré, lui, un peu comme le second, est en dehors de tout. Le beaupré est un mât, mais on le compte pas comme tel. Tiens, l'Essex est une frégate, donc un trois-mâts. Pourtant, si tu comptes le beaupré, ça en fait quatre.

— On pourrait dire que le beaupré c'est celui qui me permet d'atteindre la proue, comme le second par qui je dois passer si je veux parler au commandant, j'ai raison?

— Oui, c'est une façon de se rappeler qui vaut la mienne. On va finir par faire un bon mousse avec toi, petit.

Cette manie qu'avait le quartier-maître d'éternellement inter-peller le mousse en l'appelant «petit» horripilait ce dernier. Il n'avait rien de la stature d'un géant, mais refusait de se percevoir comme étant petit.

Son éternel verbiage, comme un moulin à paroles, fatiguait également le mousse. Il ne savait, de la voix de son supérieur ou de celle du vent dans les encablures, laquelle l'étourdissait davantage. Il espérait s'habituer à un et l'autre, mais pour l'heure, les deux lui faisaient bourdonner les tympans. Finalement, il choisit, préférant la voix du vent à celle du quartier-maître.

— Voici, petit, le pavois. Il est là pour te protéger, t'empêcher de passer par-dessus bord, tout comme moi. Si on te fait des misères, rappelle-toi que le pavois, Bulwark, est là. D'accord?

— Oui, mais je n'ai pas l'habitude de la protection. Quand on vient d'où je viens, c'est plutôt le contraire.

— Je ne sais rien de toi, petit, j'aimerais que tu me parles de ta vie, histoire de mieux te connaître.

— Je n'ai rien à dire, je refuse qu'on me fouille dans la morve du nez. Il n'y a rien de reluisant à raconter à mon sujet.

— Tiens, ça me fait penser au vieux, tu sais, à l'histoire de ta punition pour «piraterie», comme il l'a appelée.

«Pour le vieux, les actes de piraterie sont impardonnables. Il y a un peu moins de trois ans, son beau-frère, le commandant George Long était à bord du Princess Augusta*, un vaisseau transportant plus de 350 réfugiés palatins. Par négligence, on avait rempli d'eau douce des barriques ayant contenu du vin sans les nettoyer avant. Le dépôt du vin a produit un empoisonnement général à bord…

* Voir appendice en fin de volume.

— Quel est le rapport avec les pirates? C'est eux qui ont rempli les barriques d'eau?

— Non. Mais laisse-moi continuer. En plus des 350 réfugiés, il y avait 14 membres d'équipage. 114 personnes sont mortes de cet empoisonnement. Parmi eux, il y avait le commandant Long. Juste avant ce voyage, il avait demandé au second Andrew Brook alors sous les ordres de monsieur Prowe, de faire la traversée avec lui.

— Brook était second du commandant Prowe?

— Exactement. Le vieux et Brook avaient eu une prise de bec quelques jours avant. Brook a sauté sur l'offre. Evidemment, quand les 114 personnes à bord du Princess Augusta sont mortes, on les a passées par-dessus bord. Pour éviter la peste.

«Brook a pris le commandement. Des vents violents ont passablement dépalé le vaisseau vers le nord. Même si près du tiers des passagers étaient morts, au bout de trois mois, les vivres à bord ont commencé à se faire plus rares, puis ont manqué.

«D'après ce qui a été raconté par la suite, Brook et ses marins ont troqué des vivres contre les bijoux et l'argent des passagers. J'ai bien connu Brook et je n'ai pas de difficulté à le croire capable de soutirer de l'argent dans ces conditions. J'ai toujours pensé qu'Andrew Brook était de la graine de pirate.

«A la fin de décembre, on a enfin aperçu la terre. Le vaisseau avait beaucoup souffert des tempêtes rencontrées. Il avait fallu couper le mât d'artimon et une voie d'eau s'était déclarée à l'arrière. Au large du Rhode Island, Brook rentrant sous ses huniers, a hissé le signal de détresse.

«Aucun secours ne se présentant, il a décidé, ce qui était une folie, de poursuivre sa course, espérant rejoindre Philadelphie où il était attendu avec ses passagers. Pendant la nuit, une autre tempête s'est déclarée; cette fois, c'était de la neige. Le 27 décembre, au début de l'après-midi, le Princess Augusta a heurté un haut-fond à l'extrémité d'une île du Rhode Island. La coque s'est ouverte et l'eau s'est mise à monter dans la cale.

— Et tout le monde s'est noyé?

— Non. Ordonnant à tout le monde de rester à bord, Brook a gagné la terre dans un canot. Un groupe d'habitants l'attendait.

Pour éviter que le bateau et ses biens soient emportés vers le large, le chef de la communauté a demandé à Brook de mouiller l'ancre. Après discussion, Brook a fini par accepter.

«Enfin... lorsque la marée s'est mise à perdre, les habitants du village ont aidé les passagers à débarquer. Brook a défendu de descendre ce qu'ils possédaient. Et, comme si c'était insuffisant, il a refusé de partager avec eux le reste des vivres.

«Il ne voulait pas que les gens transportent leurs coffres à terre, mais il a descendu le sien. Il a probablement profité de la distraction des passagers pour faire une rafle dans les cabines, espérant que le vaisseau coule avant que son vol soit connu.

«Le lendemain, quand ils ont vu que les vaisseau était toujours à flots, Brook et ses hommes ont coupé les cables de l'ancre et le vaisseau est parti à la dérive. Choqués, les habitants de l'endroit se sont lancés à sa poursuite. Ils ont réussi à monter à bord et à sauver une vingtaine de coffres qu'ils ont remis à leurs propriétaires».

— Et Brook dans tout ça?

— On a intenté des poursuites contre lui, mais faute de preuves, les accusations sont tombées. Mais d'après moi, la preuve qu'il n'avait pas la conscience tranquille, c'est qu'il a profité de la première occasion pour s'enfuir sur le continent. Depuis, pas de nouvelles de lui ni de son maudit coffre, naturellement. Les choses sont mieux de demeurer ainsi.

— Pourquoi?

— Le commandant a fait serment que si on retrouvait Brook, peu importe où, il ira le chercher. Il a juré que s'il met la main sur Brook, il va lui lever la peau de sur le corps, comme une anguille et le rouler dans le sel après. Et je sais que le vieux est capable de le faire.

Le mousse sentit un frisson lui parcourir le corps. Il préférait être dans sa peau plutôt que dans celle de Brook. Il avait beau n'être à bord que depuis un peu plus d'une semaine, il savait lui aussi William Prowe capable de mettre sa menace à exécution si Brook avait la mauvaise fortune de se trouver sur son passage.

— Si Brook demandait grâce au roi et reconnaissait sa culpabilité, qu'est-ce qui se passerait? questionna le mousse.

— D'une façon ou d'une autre, il est fait jusqu'à l'os. Quand tu prends un cas comme le sien, que tu le décortiques en termes de marine, tu trouves facilement une dizaine d'accusations. Tu peux te demander par exemple s'il a lui-même vérifié que tous ceux qui ont été passés par-dessus bord étaient bien morts. Evidemment, non. Tu as déjà une accusation. Comme il avait eu des mots avec le commandant Prowe, il peut en avoir eu avec le commandant Long...

«Si le commandant Long n'était pas mort d'un empoisonnement, s'il avait été assassiné, ce qui est possible compte tenu du déroulement des événements, tu as un acte de mutinerie. Tu peux supposer que c'est un empoisonnement volontaire. Imagine que Brook ait voulu prendre le commandement, qu'il a demandé aux passagers quels étaient ceux qui voulaient le suivre dans l'aventure et que ceux qui ont refusé ont été délibérément empoisonnés.

«Ce n'est peut-être pas ce qui s'est passé, mais compte tenu des suites, c'est possible. Tu peux défaire l'histoire sous tous ses angles, tu auras toujours des accusations. C'est la différence entre la marine et les tribunaux de la terre ferme.

«En mer, quand on veut des preuves, on les trouve. La Loi de la Marine comporte 39 articles. Dans le lot, 13 entraînent automatiquement la peine de mort. Autrement dit, un sur trois. Brook n'a aucune chance. Il est mieux de rester caché pour le reste de ses jours, s'il est encore vivant. Et dis-toi que le roi aurait beau gracier Brook, ça ne conviendrait pas au vieux; et lui, je te jure qu'il ne s'en contentera pas. Et il a une mémoire d'orque. N'essaie pas de lui faire oublier, c'est impossible.»

— C'est quoi, un orque?

— Tu ne les connais pas? Oh c'est vrai... Si nous en rencontrons, je te montrerai. Tu vas voir l'une des plus belles choses imaginables. Quand ils attaquent, ils sont terrifiants. Quand j'ai fait la pêche sur les bancs de Terre-Neuve, j'en ai vu se jeter sur des loups-marins. Ça se fait si vite que le loup-marin n'a même pas le réflexe de bouger. Terrifiant, petit, terrifiant!

Le mousse espérait voir l'épaulard, mais pour l'heure, ce qui le préoccupait, c'était la manie qu'avait le quartier-maître de toujours l'appeler «petit».

Il n'appréciait pas non plus que Bulwark le suive comme son ombre. La chose avait cependant l'avantage de protéger le mousse contre les jaloux et de l'empêcher de faire des bêtises. Il avait échappé au maître d'équipage depuis le lendemain du départ de Bristol et ce seul fait lui suffisait pour l'accepter.

Quelques jours plus tard, le lieutenant Bowsprit entreprit à son tour de lui tenir lieu de protecteur. Non pour prendre la relève du quartier-maître, mais pour partager la tâche. Il devenait ainsi beaucoup plus facile pour le mousse d'éviter les mains de celui qu'il appelait désormais lui aussi «Queue-de-rat», un avantage non négligeable.

Il en devenait de plus en plus conscient à tous les jours. Si sur terre, on peut se cacher, se faufiler pour éviter quelqu'un, sur mer, tôt ou tard, on finit par repasser devant son homme. Il paraissait judicieux au mousse, de profiter de la générosité de ses protecteurs; il eut aimé dire au lieutenant qu'il l'agaçait, mais il voyait déjà le maître d'équipage jouir en lui donnant les cent ou cent cinquante coups de fouet qu'il se mériterait alors.

Le mousse tenta de rester froid face à cette surveillance jusqu'à ce que le lieutenant l'aborde de front. L'occasion était trop belle pour qu'il la laisse passer. Il connaissait le risque, mais il avait l'intention de dire la vérité, toute la vérité.

— C'est facile pour vous, vous avez étudié, vous savez lire, écrire, parler français, vous savez des choses que j'ignorerai toujours. Je n'ai pas été couvé dans la soie et la dentelle, moi. C'est dans la rue que j'ai appris ce que je sais.

— Quand on veut apprendre, on en trouve toujours le moyen.

— C'est peut-être vrai, monsieur, quand on est bourgeois, pas quand on est un enfant de la rue.

— Je peux t'enseigner ce que tu souhaites apprendre.

— J'ai ma corvée! D'ailleurs, le commandant ne le permettra pas. Il m'a embauché comme mousse, pas comme un enfant qui cherche une nourrice.

— Si c'est tout ce qui te préoccupe, je lui en parlerai.

*

Neuf jours plus tard, le mousse ayant oublié l'affaire se retrouvait, nerveux, devant le commandant qui l'avait fait appeler au carré. Qu'avait-il fait de mal? Etait-ce sérieux au point que le quartier-maître et le lieutenant Bowsprit avaient été incapables de le soustraire aux griffes du commandant? De combien de coups de fouet hériterait-il?

Comme une bête traquée, il regardait le commandant marcher de bâbord à tribord dans la pièce, lorsque celui-ci finit par dire ce qui l'avait motivé à appeler le mousse.

— Le second m'a fait part de ton intention de t'instruire. C'est louable. D'autant plus que si la marine t'intéresse toujours d'ici quelques années, ce sera plus facile pour toi d'obtenir de l'avancement en sachant lire et écrire. Je suis donc prêt à te le permettre. Par contre, je ne peux pas faire de passe-droits; surtout pas au mousse.

«Tu devras donc continuer à exécuter tes corvées comme si de rien n'était. En outre, si ton travail s'en ressent, si j'ai la moindre plainte, l'autorisation sera retirée sur le champ. Maintenant, tu sais ce qui t'attend; le choix t'appartient.

— Comment voulez-vous que je refuse, monsieur? Je ne suis pas dinde au point de rejeter une offre qui me permettra d'en savoir un peu plus long que les boutons de ma braguette que je ne peux même pas compter.

— Parfait. J'aviserai monsieur Bowsprit quand je le verrai. Mais n'oublie pas, pour aucune considération, ton travail ne doit pas en souffrir. Autrement, ce sera terminé.

— Bien, monsieur. Merci, monsieur, merci beaucoup. Vous n'aurez pas à le regretter, monsieur...

— N'en ajoute pas trop, je vais commencer à douter de ta franchise. Tu peux retourner à ton travail.

*

Pendant que le mousse songeait à la tournure pour le moins inattendue des événements, au changement de cap effectué par le commandant dans la perception qu'il en avait, Prowe, lui, argumentait depuis plus d'une heure avec le lieutenant Bowsprit.

— J'ai toujours été, lieutenant, contre la piraterie. En outre, fallait m'en parler le soir même ou le lendemain; pas après trois semaines. Avouez qu'il ne l'avait pas volée, celle-là.

— Tout de même, de là à parler de piraterie...

— Mon grand-père était l'un des leurs. Il arborait lui aussi le Jolly Roger, le pavillon noir. C'est l'un des rares à avoir survécu à la destruction de Port-Royal en Jamaïque.

— Je n'en ai jamais entendu parler, monsieur. Quand est-ce que ça s'est produit?

— Ecoutez, Bowsprit, pendant que vous vous faisiez dorloter à la cour de France...

— Monsieur, vous n'avez pas le droit de mettre en doute mon patriotisme anglais. Je n'ai pas votre glorieux passé, mais comme vous, commandant, indépendamment des circonstances qui semblent jouer en ma défaveur, je suis anglais et fier de l'être. Anglais de corps, anglais de cœur, anglais d'esprit!

— Bon, pardonnez-moi.

— Ça va. Et pour ce qui est de Port-Royal?

— Mon grand-père y était et mon père naviguait avec lui sur son vaisseau... En autant qu'on puisse parler de son vaisseau, parce que comme les autres, quand celui qu'il avait ne lui convenait plus, il en volait un, pillant à bord, recrutant et tuant généralement ceux qui, trop honnêtes, refusaient de joindre les rangs de la piraterie. Je sais donc de quoi je parle en matière de racaille et de piraterie.

— Je vous l'accorde, monsieur, mais j'aimerais que vous me parliez de Port-Royal et de sa destruction.

— Ce que je peux en dire, c'est ce qui m'a été raconté plus tard par mon père. Forcément, parce que je n'étais pas né.

— Tout de même, monsieur, j'aimerais savoir.

— Ça s'est produit, si ma mémoire est bonne, en juin ou juillet 1692. Port-Royal était, à ce moment-là, une ville de plusieurs milliers de maisons, le pire repaire de criminels du siècle. On l'appelait «la nouvelle Babylone».

«Les fortunes amassées par les boucaniers et les pirates se rejoignaient sur les routes maritimes menant à Port-Royal. Barres d'argent, lingots d'or, bijoux des tombeaux Incas et Aztèques, ducats, louis, livres, doublons, des richesses fabuleuses raflées au cours d'attaques sur terre et sur mer y étaient apportées.

«Rien n'était suffisant quand cette racaille jetait l'ancre. Capitaines et matelots revêtaient leurs plus beaux atours, arborant fièrement les bijoux, les ornements précieux, les tissus fins, mangeant dans de la vaisselle d'or et buvant dans des calices d'argent et des gobelets d'or pillés dans les tombeaux et les temples. Ces orgies se déroulaient à la lumière des chandeliers volés sur les autels.

«Ce jour-là, le matin parut se lever à regret. Les fêtards en profitèrent et continuèrent leurs orgies quelques heures. Soudain, le ciel perdit toute couleur. Le tonnerre grondait et des nappes de feu parcouraient le ciel. La pluie s'est mise à tomber, lourde et épaisse.

«Le vent augmenta en force, hurlant, déracinant les arbres sur son passage, puis la mer s'est soulevée et s'est précipitée sur cette terre qui tremblait. Mon père disait que le sol s'était mis à onduler comme une grosse mer. Les murs des édifices se sont mis à s'écrouler comme s'ils avaient été construits de sable de grève sec, dans un bruit d'enfer. Dans le port, des navires s'inclinèrent jusqu'à engager et coulèrent au fond.

«Pour ceux qui y étaient, ça devait donner un peu l'idée qu'on se fait de la fin du monde. Puis les vagues s'élevèrent encore et le sol s'est affaissé. Après un dernier tremblement, la ville a glissée dans l'eau pour y disparaître complètement.

«Rien n'a subsisté, si ce n'est quelques hommes se débattant parmi les cadavres flottant au gré de la houle. Parmi les rescapés, mon grand-père et mon père. Sur les collines avoisinantes, les balbusards se nourrissaient. Même si Port-Royal abritait des milliers de personnes, il n'y eut pas deux cents survivants.

«N'eut été de bons samaritains, tous seraient morts. Pourtant, ces fripouilles ne se seraient pas privées de voler et tuer ces mêmes sauveteurs s'ils les avaient rencontrés la veille. Quant à la fortune accumulée, elle est perdue elle aussi, à jamais.

«Mon grand-père et mon père ne comprirent pas que c'était un avertissement de la Providence. Mon grand-père est mort quelques années plus tard, tué lors de l'abordage d'un vaisseau français.»

— C'est de là que vient votre hargne contre les français?

— Pas du tout. C'est une autre histoire. Il m'aurait abordé, j'aurais tenté ce que les français ont réussi. Un pirate est un pirate, il n'a ni famille ni patrie, il ne reconnaît que le maudit Jolly Roger. Pourquoi devrais-je, moi, lui accorder grâce? Si je ne suis pas de sa famille, il ne peut pas être de la mienne.

«Mon père a continué, côtoyant les noms les plus célèbres de la racaille, Avery, Jennings et tant d'autres. Pas meilleurs les uns que les autres. Tous de gibiers de potence. Mon père a même navigué avec le commandant Edward Teach, le fameux Barbe-Noire.

«Oui, je sais, ce n'est pas très reluisant comme antécédents familiaux. J'ai dû travailler d'autant plus dur pour me tailler une place. J'étais jeune marin au service du roi George, quand il a émis sa Proclamation pour la Réduction des Pirates, en 1717. Voyez ce parchemin, il était chez moi depuis cette époque, j'ai décidé de l'embarquer quand le roi m'a donné cette commission à bord de l'Essex. C'est cette copie qui a été remise à mon père.»

Le second se retourna pour parcourir des yeux le papier jauni orné d'enluminures, sans attendre l'autorisation du commandant.

— C'était très généreux de la part du roi, dit-il dès qu'il eut fini sa lecture.

— Oui. Mais ce n'était pas suffisant pour mon père. Lorsqu'il fut pris dans une souricière, il a rétorqué au commandant qui l'avait arraisonné, «plutôt mourir que de servir un roi fantoche qui gouverne l'Angleterre sans en comprendre la langue!» Un combat suivit au cours duquel mon père a été transpercé de part en part.

— Je m'excuse d'avoir fait ressortir ces mauvais souvenirs.

— Il est parfois bon, lieutenant, de se souvenir pourquoi on combat, même si ça ouvre de vieilles blessures. Mes derniers démêlés avec la piraterie, c'est mon beau-frère qui en a été victime. Par la faute d'un de mes anciens second, mais je préfère ne pas en parler. Par sa faute, ma sœur est veuve avec quatre enfants sur les bras.

— Vous avez une sœur?

— Oui. C'est ma seule famille.

— Et vous n'êtes pas marié? Vous n'y avez jamais pensé?

— Je suis marié, lieutenant, je suis marié! Je le suis depuis mon enfance. Marié avec la mer! Et malgré toutes ces années, j'adore toujours mon épouse. J'ai une épouse, la mer, et une maîtresse, cette frégate. Maintenant, vous savez tout sur moi, ce qui est important et ce qui l'est moins.

— Je vous remercie, monsieur, de la confiance que vous m'accordez. J'essaierai d'en être digne.

— N'essayez pas, soyez-en digne! Autrement, vous verriez en moi, monsieur Bowsprit, l'ennemi le plus implacable que vous puissiez imaginer. Je vous pourchasserais alors, jusqu'à la mort, la vôtre. On prétend que j'ai la mémoire longue. Quoi qu'il en soit, si je sais me souvenir des bonnes actions, je sais aussi me souvenir des mauvaises.

— Vous avez précisé que vous me poursuivriez jusqu'à ma mort, comme si vous aviez la conviction de mourir après moi.

— Non. C'est probablement le contraire qui se produira. Mais si vous trahissez ma confiance, même par-delà la mort, je vous poursuivrai pour vous demander des comptes.

— Pour revenir au mousse, sa punition n'était-elle pas exagérée? Ce n'est qu'un enfant.

— Apprenez, lieutenant, que c'est moi qui décide qui sera châtié. Je n'admets pas qu'on mette mon jugement en cause. Il était le premier à demander le poste, c'était normal de le lui accorder. S'il avait eu l'expérience qu'il prétendait, c'est comme marin que je l'aurais embauché. Son mensonge était superflu. Il méritait une punition, il l'a eue, l'incident est clos.

«La discipline est capitale. Même si mes tactiques sont sévères, c'est la seule façon d'éviter les mutineries. Je ne cherche pas à être aimé. Autrement, je ne serais pas commandant. Sur tout vaisseau, deux personnes seront toujours détestées: le maître d'équipage qui donne les punitions et le commandant qui les impose. Mais même étant haï, je tiens au respect.

«Gardez cela continuellement à l'esprit, lorsque vous serez capitaine, sinon, vous ne le serez pas longtemps. Il y a trop de raisons d'exécrer le commandant, pour ne pas le déposséder à la première occasion. Et la meilleure façon de l'éviter, c'est de s'assurer que les matelots gardent toujours en tête ce qui se passerait s'ils échouaient dans leur tentative.

«Un dernier point: il y aura toujours des jaloux. Ne vous exposez pas trop avec James. Autrement, on vous repprocherait de faire du favoritisme, ou même de vous envoyer le mousse... Je le répète, vous ne serez jamais trop prudent. Et si vous n'êtes pas capable de vous y faire, quittez tout de suite la marine.»

— Bien, monsieur, conclut le second en sortant du carré, le sourire aux lèvres, précédant son supérieur.

Tandis que le second poursuivait son chemin, songeant à son entretien avec son supérieur, si différent de ce qu'il avait imaginé, William Prowe s'était arrêté au bastingage de tribord, scrutant sa complice, celle à qui il avait confié ses joies et ses peines, ses espoirs et ses angoisses.

Peut-être aurait-il besoin de temps, mais il finirait par casser la croûte de bourgeoisie collant à la peau du second. Alors seulement, il pourrait l'instruire de tout ce qu'il aurait besoin pour le jour où il pourrait, à son tour, portant les galons de commandant, appareiller vers d'autres rivages.

Il ne s'attendait pas à ce que le second se plie à tous ses conseils. Il espérait même qu'il agisse différemment, ne serait-ce que parce que la leçon est plus profondément ancrée au cœur de l'homme si elle est le fruit de l'échec.

Machinalement, comme mû par une force incontrôlable, William Prowe posa la main sur la lisse de pavois qu'il se mit à caresser avec légèreté et douceur. Ses yeux bleus, où se mirait l'orage passant au large, scrutaient la mer. Il éprouvait à ce moment précis, comme à toutes les fois qu'il en apercevait, un mystérieux plaisir à regarder les embruns courir sur la crête des vagues.

Elle pouvait le prendre à jamais, l'emmener jusque dans les profondeurs abyssales, il ne l'en aimait pas moins. La mer avait toujours été sa confidente, elle le serait toujours, même par-delà la mort. William Prowe avait donné sa vie à la mer, il était prêt à lui consacrer sa mort.

CHAPITRE III

«Ce fut un vaisseau d'or dont les flancs diaphanes
Révélaient des trésors...»

Emile Nelligan

Bien qu'il eut attaché une corde à la baille servant à amener de l'eau sur le pont pour le laver, la force du courant n'en scia pas moins les mains du mousse. Incapable de la remonter à bord, il l'échappa lorsque le quartier-maître l'interpella.

— Ecoutez, j'ai du travail à faire. Queue-de-rat m'a dit d'écouper et, par votre faute, j'ai perdu la baille.

Regardant dans la direction que lui montrait le mousse, Bulwark vit par arrière tribord, le contenant bercé par les flots.

— Petit malheureux, ne sais-tu pas que perdre une baille à la mer annonce une catastrophe? Tu ne me crois pas? ajouta-t-il en voyant l'air sceptique du mousse. Demande à l'équipage, tu verras. Tu nous places dans de beaux draps.

— Si vous ne m'aviez pas crié comme ça, je l'aurais gardée bien en main, cette maudite baille.

Les deux hommes ne voyaient par-dessus bord les vagues s'amplifier ni l'écume se former à leur crête. John Bowsprit, entendant l'altercation, sortit de sa chambre et remarqua l'évolution de la mer.

— Vous deux, cessez vos disputes, il va y avoir du boulot. Il va falloir saluer le grain.

— Saluer le grain?

— Regarde la mer qui grossit. Il va y avoir une tempête.

— Parce qu'un grain c'est une tempête?

— Oui jeune homme, confirma le lieutenant tandis que des hommes grimpaient à la hâte dans les haubans. Viens avec moi, ajouta-t-il en voyant le commandant Prowe sortir du carré. Des-

43

cendons nous assurer que les mantelets sont fermés sur les sabords.

Demeuré sur le pont, le commandant voyait les hommes s'affairer aux vergues. Regardant la mer, il vit arriver par le bossoir bâbord, un grain noir fonçant en direction de la frégate.

— Relevez les étais, cria-t-il aux hommes. Grouillez-vous, carguez, carguez, le grain n'attendra pas après vous.

La pluie se mit à tomber, grosse et dure comme des grêlons, crépitant sur le vaisseau, sur les hommes, sur la voilure, sur le pont, tandis que ceux qui étaient toujours dans les haubans descendaient à la hâte pour regagner le pont avant que la mer ne grossisse démesurément.

Le vent forcit encore, la pluie froide fouettait de toutes parts, l'Essex se mit à osciller sur l'eau comme un duvet de pétrel balayé par les grands vents. Chacun avait peine à garder son équilibre. On entendit un cri prolongé. Un homme s'écrasa sur le pont dans un fracas d'os désarticulés. La mer se cabrait sous la déchirure infligée par la quille de l'Essex. Le vaisseau tanguait avec tant d'ampleur avant que les derniers hommes soient revenus sur le pont, qu'aucun ne fut surpris de voir l'un d'entre eux passer par-dessus bord.

— Owen, cria-t-il, Owen... jusqu'à ce qu'une lame le prenne pour l'amener dans les profondeurs.

«Voilà une mort que j'aimerais», commenta pour lui-même le commandant.

Un autre homme, le dernier encore dans les haubans, glissant sur les derniers échelons, se fractura une jambe en heurtant le pont. Personne ne le remarqua. Les hommes présents dévisageaient George Owen, celui-là même dont le nom venait d'être évoqué par le noyé. Ne disait-on pas que celui dont le nom est prononcé par l'agonisant serait le prochain à s'éteindre? Tout le monde le savait, Owen aussi, on avait appelé le mort.

Owen avait beau chercher à se montrer brave et incrédule face à cette croyance, son teint livide le démentait plus adroitement, plus sûrement qu'il ne l'aurait voulu.

Lorsque le grain fut passé, deux hommes prirent à leur charge le blessé. Pendant ce temps, le quartier-maître Davidson partit chercher des linceuls et des pierres pour envelopper et lester le cadavre. A son retour, le lieutenant Bowsprit réapparaissait sur le pont en compagnie du mousse.

— Des dégats importants? s'enquit-il auprès du commandant.

— Un homme à la mer, noyé, cet autre, en montrant le corps sur le pont, et une jambe brisée. Nous avons malgré tout été chanceux. Et le charpentier est à plat pour aujourd'hui. Le noyé l'a appelé.

Puis, se retournant vers le mousse, Prowe l'interpella:

— Va au carré, gamin, et rapporte-moi ma bible.

Après avoir englouti un premier corps, la mer se calmait lentement, consciente de l'imminence du prochain sacrifice. Elle avait pris le premier, personne ne pouvait le contester. Cependant, c'était l'équipage qui lui offrait le deuxième.

Le mousse revint avec le livre, et le tendit au commandant. Le corps fut placé sur une civière, dont une extrémité dépassait le pavois. Le commandant ouvrit le livre et, plaçant le doigt pour garder la page, se tourna vers le maître d'équipage.

— Rassemblement, ordonna-t-il.

Sortant son sifflet, Henry Gilbert procéda à l'appel. L'équipage s'aligna rapidement sur le pont pour la cérémonie. Se penchant, William Prowe adressa une mise en garde au mousse avant de commencer la lecture de l'Ecriture.

— Lorsque les hommes lèveront la civière pour jeter le corps à la mer, ne la regarde pas le cueillir. La mer n'aime pas qu'on l'observe prendre ses repas. Que ce soit bien compris!

«Oh Dieu, rends justice à ton peuple, sentence juste et jugement à tes petits. Montagnes, apportez... la paix au peuple. Avec justice il jugera le peuple, il sauvera les fils des pauvres, il écrasera leurs bourreaux. Il durera sous le soleil et la lune, siècle après siècle; il descendra comme la pluie sur le regain, comme la bruine mouillant la terre. En ces jours, justice fleurira et grande paix jusqu'à la fin des lunes; Il dominera de la mer à la mer, du fleuve jusqu'aux bouts des terres.»

Sachant quels seraient les prochains mots à prononcer, le commandant referma son livre et poursuivit:

— Jésus dit: Je suis la résurrection. Qui croit en moi, même s'il meurt, vivra; et quiconque vit et croit en moi ne mourra jamais.

Le commandant retira son tricorne, son geste imité par les autres officiers. Les membres d'équipage qui portaient une coiffure ou un bout de tissu sur la tête firent de même. William Prowe fit alors signe de lever le brancard.

Entendant le frottement du linceul, James Galloway leva les yeux vers la voilure pour fixer le Grand Perroquet. Un goéland volant au-dessus du vaisseau, le mousse suivit son vol. Lorsque la mer ouvrit béante sa gueule fauve pour engloutir le sacrifice offert, les hommes se dispersèrent, chacun retournant à son travail. Le mousse interpella le second.

— M'sieur… Le commandant a dit de ne pas regarder la mer quand le corps y tomberait. Qu'est-ce que ça veut dire, monsieur? Pourquoi le corps n'a pas été gardé à fond de cale pour être enterré dans un cimetière?

— Une question à la fois. On ne peut pas garder un mort à fond de cale. Il propagerait la peste à bord. Par ailleurs, un cadavre à bord ralentirait le vaisseau. On dit aussi que cela porte malchance. C'est pourquoi tu ne verras jamais un marin accepter de travailler sur un vaisseau où il y a un mort. Ce serait suffisant pour engendrer une mutinerie.

— Et pourquoi le commandant ne voulait pas que je regarde?

— Parce qu'on dit que regarder un corps s'enfoncer dans les flots porte la guigne. Il paraît que si quelqu'un regarde la mer prendre un cadavre, cette personne ne tardera guère à aller le rejoindre. Voilà pourquoi. C'est signe que le commandant te veut du bien. Maintenant, laisse-moi, j'ai du travail.

*

Malgré la superstition menaçante pesant sur sa tête, George Owen était descendu sur le faux-pont, avait inspecté les virures de gouttières, les vaigres bretonnes, palpant l'étoupe puis, s'armant d'une torche et de son coffre, était descendu à la cale pour continuer l'inspection.

Fidèle à ses habitudes, après un grain, une tempête ou une

mer plus forte, dès l'accalmie, il procédait à une inspection systématique de la coque. Même si l'autre avait appelé le mort, il ne pouvait faillir à la tâche. Il avait, d'une certaine manière, lui aussi, la vie de l'équipage entre ses mains.

*

George Owen frappa à la porte du commandant qui le fit entrer aussitôt. William Prowe remarqua une inhabituelle pâleur sur le visage du maître-charpentier. Mais, nullement inquiet, il mit le tout sur les conséquences du geste du noyé et tenta de minimiser l'angoisse de l'homme.

— Vous faites partie de mon équipage depuis assez de temps, Owen, pour savoir que nous en avons vu bien d'autres. Cette légende a peu de valeur.

— Ce n'est pas ce qui me tracasse pour le moment, monsieur. J'ai fait l'inspection détaillée de la charpente du bâtiment. Au faux-pont, rien d'alarmant, monsieur. Il y a quelques faiblesses à l'étrave et au brion dans la cale, à cause des maudits vers taraudeurs, mais rien qui mette en péril le reste du voyage. Mais faudra les changer avant longtemps.

«Quand on frappe dessus, certains endroits renvoient un son creux, mais on a déjà vu pire. Le Norfolk était dans une situation beaucoup plus précaire. Le vaisseau a craché quelques pièces d'étoupe, mais j'ai aveuglé les voies d'eau et ajouté du brai. Il faudra cependant affranchir.»

— Et c'est ça qui vous préoccupe à ce point, mon brave?

— Non, monsieur. Enfin, en partie. Ce n'est pas tant la quantité d'eau à affranchir que ce que les hommes verront à fond de cale. Et je ne parle pas des rats morts que j'ai passés par-dessus bord pour éviter que les hommes paniquent inutilement.

— Qu'est-ce qu'il y a, alors?

— La cargaison s'est désarrimée, monsieur, et des coffres ont répandu leur contenu. Un véritable trésor…

— Bon, vous savez comme moi que tout vaisseau sur mer a à son bord une certaine quantité d'argent et, éventuellement, de l'or, Owen, c'est tout à fait normal.

47

— Ecoutez, monsieur, personne d'autre que vous ne sait quelle quantité de valeurs l'Essex recèle. Mais nous savons tous deux que c'est beaucoup plus, du moins ce que j'en ai vu, que ce dont vous avez besoin pour acheter du bois à Québec.

— Nous avons besoin de beaucoup de bois...

— Je constate que vous ne voulez rien me dire, monsieur. C'est votre droit, mais je sais que si nous achetions du bois pour les valeurs qu'il y a dans la cale, ce n'est pas l'Essex qu'il faudrait pour le transporter, mais cent frégates. Et je suis certain que ce que j'ai vu n'est pas la totalité du trésor. Enfin, j'étais venu faire mon rapport, c'est fait.

— Autre chose?

— Ah oui, j'allais oublier, le chat; vous savez ce qu'on dit des chats qui miaulent à bord... De sérieux ennuis en perspective...

— Bon, merci Owen, ajouta le commandant en dirigeant le maître-charpentier vers la porte, lui signifiant par le fait même la fin de la rencontre.

*

Lorsque Henry Gilbert se présenta sur le pont, le mal était fait. Les hommes couraient de l'un à l'autre, s'annonçant la nouvelle. Rapidement, les équipes laissèrent leurs corvées, partant à la recherche d'autres groupes pour les informer. Tentant de reprendre le contrôle de la situation, Gilbert fit entendre son sifflet. Personne ne se préoccupa de lui. Aussi, convaincu de son emprise sur le mousse, le maître d'équipage l'interpella.

— Hey! l'avorton, arrive ici.

— Qu'est-ce que je peux faire pour vous? s'enquit le gamin.

— Qu'est-ce qui se passe?

— Comme vous l'avez dit, je ne suis qu'un avorton. Vous pensez bien que les hommes ne m'ont pas mis au courant.

— Tu penses que tu vas me faire avaler une telle couleuvre? Tu as oublié qui je suis?

— Non, non, on ne vous appelle pas Queue-de-rat pour rien.

Lorsqu'il referma la bouche, James Galloway comprit

l'ampleur de la catastrophe. Si on ne se privait pas de qualifier le maître d'équipage de «Queue-de-rat», jamais on ne s'était aventuré à lui servir son sobriquet sur un plateau d'argent, surtout en de tels moments d'hystérie collective. Sentant rager Gilbert, Michael Bulwark vint s'interposer entre lui et le mousse.

— Ça sert à rien de jouer avec la mort, petit, elle aura toujours le dernier mot. Dis donc, c'est vrai que tu ne sais pas ce qui se passe?

— Bien sûr que je sais, je ne suis pas sourd, mais s'il m'insulte, je ne suis pas idiot au point de me plier à ses caprices.

Pâle, Gilbert restait là, statufié. Serrant les dents, il jura au plus profond de son être tortueux, de mettre du cœur à la tâche si le ciel faisait tomber le mousse entre ses pattes. Dans son esprit, une idée germa, une idée à laquelle personne d'autre ne pourrait penser. En moins d'une semaine, le mousse lui demanderait grâce.

Les uns après les autres, les hommes couraient vers la cale pour en revenir encore plus hystériques. Ayant perdu le contrôle, Gilbert décida d'aller constater de visu ce qui pouvait engendrer une telle rébellion. Si, par malheur, le commandant ou le second voyait les hommes dans cet état sans qu'il puisse en donner la cause, il en cuirait pour lui.

Il se voyait déjà condamné à subir le fouet. Il était le seul à avoir le privilège de le donner, mais, pour mieux l'anéantir, le commandant était capable d'imposer la punition en précisant qu'elle serait exécutée en part égale entre les hommes.

Non, il ne pouvait accepter un tel laxisme chez l'équipage, surtout sans en connaître la cause. Il ne l'ignora pas longtemps. Il vit un rat courir à fond de cale sur lequel le chat bondit aussitôt. Mais il savait que le chat et le rat n'avaient rien à voir avec la démence soudaine de l'équipage.

Voyant les coffres éventrés desquels avaient coulé nombre de pièces d'or et de pierres précieuses, les yeux de Gilbert s'agrandirent démesurément. Le souffle coupé, il dut reprendre le contrôle de ses esprits avant d'ordonner aux hommes de quitter la cale. Il ne fut évidemment pas écouté.

Que dirait le commandant quand il connaîtrait le faits? Gilbert n'osait se l'imaginer. Il n'osait pas davantage affronter les images que faisait naître son cerveau. S'il ignorait ce que dirait le commandant, il imaginait trop bien ce qu'il ferait. Et cela, c'était pire qu'une catastrophe. Si on ne reprenait pas immédiatement le contrôle, on courait droit à la plus belle mutinerie connue, de mémoire, dans l'histoire navale de l'Empire.

Au pas de course, le maître d'équipage remonta au carré où il trouva le commandant. Il regrettait de n'avoir pas pris le temps de frapper avant d'entrer. C'était maintenant trop tard pour faire marche arrière et chaque minute comptait si on voulait reprendre le contrôle du vaisseau.

— Monsieur, appela-t-il trop fort, sa voix trahissant l'angoisse.

— Qu'est-ce qui se passe? Qu'est-ce que vous faites ici? Qui vous a permis d'entrer sans frapper? rugit le commandant.

— Monsieur, vous devriez venir sur le pont. Les hommes sont hystériques. J'ai demandé au mousse ce qui se passait, il m'a insulté. J'ai suivi les hommes qui descendaient à la cale en courant. Il y a trois coffres ouverts. J'ai donné l'ordre de quitter la cale, mais l'équipage refuse d'obéir.

— Imbécile! cracha le commandant.

Il prit ses pistolets à deux coups dans le tiroir de la table où s'étalait la carte anonyme de la Nouvelle-France datée de 1720. Les glissant dans la bande d'étoffe qui lui cintrait la taille, William Prowe sortit, bousculant le maître d'équipage qui partit sur ses talons. Le commandant le repoussa aussitôt.

— Plutôt que de me suivre à la trace comme un chien, allez chercher le second et l'aspirant Cairn. Ils ne seront pas de trop. Dites-leur d'apporter leurs armes.

Depuis qu'il naviguait, le commandant avait vu plus d'une situation tendue. Il avait souvent aperçu des désordres comme celui qu'il vit en arrivant sur le pont. Il n'hésita pas à armer l'un de ses pistolets et tira au-dessus de l'océan pour attirer l'attention des hommes.

La détonation mit un terme à la querelle impliquant quatre hommes sur le gaillard d'avant, comme elle stoppa la poursuite des matelots juchés dans les haubans du grand mât de hune.

— Tout le monde à son poste, vociféra le commandant. Je ne le répéterai pas!

Tandis que certains continuaient à se chamailler, le charpentier s'avança vers William Prowe. Il se souvenait d'une conversation avec un officier et celui-ci avait affirmé que le commandant était tenu de dévoiler à l'équipage, la nature de la cargaison. Vrai ou faux? Owen l'ignorait, mais il était déterminé à le vérifier sur-le-champ. Le commandant avait beau lui tourner le dos, il le forcerait à faire face.

Comme il arrivait à portée de bras du commandant, l'aspirant Cairn fit son apparition sur le pont. Voyant l'homme avancer une main déterminée, Cairn leva le bras, ajusta son pistolet et visa la tempe gauche de George Owen avant d'appuyer sur la gachette. La détonation fit se retourner brusquement le commandant pour voir s'écrouler le charpentier. William Prowe vit passer devant lui l'image du noyé appelant le mort.

*

Lorsque le commandant reprit le contrôle de la situation, quatre autres hommes étaient morts. Nombreux étaient ceux qui passeraient entre les mains du maître d'équipage. Suffisamment nombreux pour nécessiter que les sentences soient réparties sur trois jours. Au total, plus de quatre mille coups de fouet seraient distribués dans des proportions allant de cent à deux cent cinquante coups, fonction de la gravité ou de la nature des offenses. Il y eut enfin le châtiment collectif pour lequel la décision ne se fit cependant pas sans heurt entre les officiers.

— Dites-moi ce que vous avez contre cette chasse.

— L'Angleterre est-elle ou non un pays de barbares? J'espère, Cairn, que vous allez me donner une réponse négative.

— Messieurs, intervint William Prowe, tout ce que je veux savoir, c'est ce que vous pensez de ma proposition.

— Malgré le respect que je vous dois et les scrupules du second, monsieur, la punition serait de nature à permettre la fomentation d'une révolte de l'équipage. Depuis plus de cent ans que cette chasse est pratiquée, c'est une tradition pour tous les marins.

– Nous serons devant la Baye de la Trinité demain. Si nous donnons aussitôt des armes aux hommes, ils risquent de s'en servir pour se retourner contre nous. Je propose donc qu'on leur refuse le droit de faire la chasse aux Beothuks. Qu'en pensez-vous, monsieur Bowsprit?

– Je trouve scandaleux, monsieur, qu'on parle de punition parce qu'on interdit la chasse aux peaux-rouges. D'abord, nous sommes militaires. Pas pêcheurs ou colons. Nous somme donc exclus de cette... tradition, comme l'appelle monsieur Cairn.

– Je vous arrête tout de suite, lieutenant. Vous faites fausse route. Monsieur Cairn, vous et moi, les quartiers-maîtres, le maître d'équipage et les canonniers, sommes militaires. Quant aux hommes, vous savez qu'ils ne le sont pas. Autrement, nous ne serions pas contraints à ces subterfuges pour les enrôler à bord des vaisseaux du roi.

– Tout de même, commandant, les Beothuks ont beau être des peaux-rouges, ce sont des êtres humains.

– N'a-t-on pas prétendu, lieutenant, fit l'aspirant méprisant, qu'il n'y a pas si longtemps vos compatriotes assassinaient des enfants, français également, pour permettre à quelques médecins de faire de la dissection et qu'on allait jusqu'à faire le commerce des cadavres? Quand vous venez me servir vos idées...

– N'essayez pas, monsieur Cairn, riposta le second, de me faire passer pour français. Autrement, je serai contraint de vous demander réparation en duel. Je suis aussi Anglais que vous.

– Allons, monsieur, intervint le commandant qui voyait les choses tourner au vinaigre. Cessez de vous quereller pour savoir quelle est la nationalité de l'un et de l'autre. En outre, Cairn, je suis témoin de l'insulte et tout à fait d'accord quand le second dit qu'il pourrait vous demander réparation. J'attends que vous présentiez vos excuses.

– Je vous demande pardon, même si je persiste à dire que les Français ne sont pas moins barbares.

– Il ne s'agit pas de savoir qui est barbare, mais de savoir si les Anglais le sont. En tant qu'Anglais, je dis non. Quant à votre tradition, je n'en ai rien à faire, monsieur Cairn. Si une tradition relève de la barbarie et que nous la perpétuons, nous sommes par le fait même des barbares. Or, moi, lieutenant John Bowsprit, commandant en second de la frégate Essex affrétée par le roi George II et sous le commandement du capitaine William Prowe, je ne suis pas un barbare. Et je suis prêt à annoncer moi-même aux hommes que la chasse aux Beothuks ne sera pas l'un des attraits de la traversée.

— Eh bien moi je ne suis pas prêt, répliqua l'aspirant.

— Et si je vous l'ordonne? s'enquit le commandant.

— En ce cas, monsieur, je ne peux que me plier à vos ordres.

— Bien. Exécution!

L'aspirant sortit de mauvais gré pour annoncer la décision tandis que le commandant et le second terminaient le débat.

— Je n'ai rien d'un Quaker, monsieur. Je ne crains pas le combat et j'espère pouvoir vous montrer ma valeur. Mais m'attaquer à des peaux-rouges pour le plaisir de perpétuer une tradition, je regrette, mais je n'embarque pas. J'aurais pu l'annoncer...

— Mettons les choses au clair, lieutenant. Si vous vous étiez présenté devant l'équipage pour lui faire une telle annonce, avec les yeux que vous avez actuellement, ils vous auraient égorgé immédiatement. C'est pourquoi j'ai envoyé l'aspirant Cairn. En étant contre, il trouvera facilement les mots pour que les hommes acceptent la situation. Rappelez-vous de ça quand vous aurez un commandement. Ne faites jamais annoncer une mauvaise nouvelle aux hommes par quelqu'un qui est contre leur cause. Envoyez quelqu'un qui leur est sympathique.

CHAPITRE IV

*«Je porte au fond de moi, cette odeur de la mer,
Cette odeur de ciel libre et d'eau sur les falaises
Comme un sachet, comme un secret magique et cher...»*
Roger Devigne

Douze jours plus tard, le vaisseau s'engageait dans le Passage du Nord. William Prowe n'arrivait pas à faire entendre raison au lieutenant Bowsprit.

— Comme vous, lieutenant, je suis au service du roi. S'il décrète que personne ne s'installera sur l'Isle de Terre Neuve, je n'ai, pas plus que vous d'ailleurs, rien à redire. Tout au plus, j'ai le devoir de m'assurer que ses ordres sont respectés.

«Avec votre passage à la cour de France, lieutenant, vous devez avoir une idée beaucoup plus juste que la mienne de ce qu'il en coûte pour établir une colonie. Comment voulez-vous que le roi autorise la colonisation de l'Isle? Vous oubliez qu'il n'y a encore pas si longtemps, nos marins voguaient pendant quatre ou cinq ans au cours desquels ils ne recevaient aucun salaire.

«L'argent est loin d'être aussi abondant à la cour d'Angleterre qu'à celle de France. En acceptant la pêche autour de l'Isle sans autoriser son habitation, le roi fait preuve d'habilité politique. Il n'a pas à débourser pour organiser la colonisation et l'Angleterre profite de retombées appréciables. Ce qu'il prend dans la poche des pêcheurs, qu'ils soient Basques, Anglais ou Français, il n'a pas à le prendre dans la nôtre.»

— A quoi sert un gouverneur qui n'est même pas sur place?
— Il est sur place, lieutenant. Enfin, tant que dure la pêche. Quand elle est terminée, il n'a plus de raison de rester sur l'Isle. N'oubliez pas que s'il y est à demeure, le roi ouvre automatiquement la porte à la colonisation. C'est ainsi depuis 1729, depuis

55

que l'Isle est détachée de l'Acadie. Et je ne pense pas que ça change avant longtemps, si jamais ça change.

«Croyez-moi, ce n'est pas moi qui interviendrai pour que le roi change d'idée. Notre travail consiste à nous assurer, lorsque la pêche est terminée, que tout le monde est reparti. D'ailleurs, nous savons ce qui se passe avec la colonisation. Regardez la France, le roi l'a autorisée pour Québec et les colons sont rendus au Lac Winnipeg. De toute façon, tôt ou tard, cette contrée sera possession britannique.»

– J'espère que ce sera tôt. Quand je vois ce que la France empoche avec ses Postes du Roi, imaginez ce que l'Angleterre pourrait faire de cet argent.

– Ça viendra, lieutenant, ça viendra.

– C'est vrai que toute cette terre n'a pas une valeur égale. Voyez, par exemple, cette côte que nous rangeons depuis que nous avons pris l'Estuaire du Nord, la côte par tribord. Savez-vous qui est Jacques Cartier, monsieur?

– N'est-ce pas le navigateur qui a découvert cette contrée?

– Précisément. Il y a un peu plus de deux cents ans, en 1534. Et savez-vous comment Cartier appelait cette contrée? La Terre de Caïn, monsieur, la Terre de Caïn!

– Tiens, c'est un nom bien étrange.

– C'est que cette terre ne vaut rien. Fouettée par les vents, lavée par la mer. Regardez ces arbres, de valeur trop négligeable pour en faire du bois de chauffage; quant au sol, outre ces chicots tordus par le vent, rien n'y pousse que de la roche. C'est ce qu'il disait dans son journal de voyage. Alors, quand on parle de conquérir cette contrée, je suis bien prêt à leur concéder cette Terre de Caïn.

– Pas moi, lieutenant. Les Français doivent quitter l'Amérique pour ne plus y revenir. Autrement, ils reprendront l'emplacement. Regardez l'Acadie, il y a près de trente ans qu'elle nous a été concédée à la signature du Traité d'Utrecht. Après trente ans, qui habite l'Acadie? Toujours des Français. Pourtant, ils sont sur une propriété anglaise.

*

56

Trois jours plus tard, le vaisseau passait l'embouchure de la rivière Noustagouan. Le commandant avisa l'équipage que le compas s'affolait avec une variation de 28 à 33 degrés. Passant pour la première fois au nord de l'Isle Anticoste, il n'était pas conscient de traverser une zone de perturbation magnétique.

William Prowe pestait contre cette invention. A son poste, Bowsprit poursuivait l'apprentissage du mousse. Ce dernier sachant maintenant compter, commençait à lire; assoiffé des connaissances les plus diverses, les discussions s'avéraient plus facile pour l'officier comme pour le gamin. L'officier profita de l'occasion pour remettre un présent au mousse:

— Tiens, James, j'ai quelque chose pour toi.

— ...une roche?

— Pas n'importe quelle roche. Une pierre comme celle-là, avec un trou au milieu est un porte-bonheur. Tu dois la porter au cou. Je l'ai trouvée sur un rivage quand j'étais en France. Conserve-la précieusement, elle pourrait te sauver un jour.

— Michael Bulwark m'a donné un morceau de charbon que sa femme lui avait remis. Il dit que ça m'empêchera de me noyer, je n'ai donc pas besoin de votre roche.

— Au contraire, James. D'abord, je suis heureux de voir que Bulwark tient à toi. C'est un beau présent. Mais il n'est valable que pour la noyade. Imagine que tu glisses dans les cordages, que tu te casses le cou, tu n'es pas plus avancé. Suppose que nous fassions naufrage, tu ne te noieras pas, mais qu'est-ce que cela vaut si tu crèves de faim? Avec cette pierre, tu t'épargnes ces tracas. Mais tu dois la porter continuellement à ton cou. C'est tellement efficace que de nombreux pêcheurs en ont une sur leur bateau, pour favoriser leurs prises.

— Vous êtes sérieux?

— Evidemment! On ne badine pas avec ces choses-là. N'as-tu pas remarqué, au carré, qu'il y en a une qui tient la carte sur le plan de travail?

— Je croyais que c'était une pierre sans importance.

— Justement, elle ne l'est pas, loin de là.

— Merci, monsieur John.

Pendant qu'il fixait le caillou au cou du gamin, le lieutenant remarqua un malaise chez son protégé. Il brûlait de s'en informer, mais le mousse s'était montré, depuis Bristol, intransigeant pour tout ce qui avait trait à sa vie privée. Ne voulant pas paraître trop curieux, Bowsprit le laissa jongler quelques instants avant de l'aborder.

— Dis-moi, James, ou je me trompe ou il y a quelque chose qui te tracasse. Je ne veux pas me mêler de ce qui ne me concerne pas, mais si tu veux en parler, tu sais que tu as toute mon attention et que tu peux me faire confiance.

— Je sais, mais c'est difficile à dire. Bien sûr, si j'en parle à quelqu'un, monsieur, c'est à vous que je dois le faire.

— Alors, si tu veux m'en parler, je t'écoute. Tu me parais bien troublé. Parle, sois sans crainte. Tu as ma parole d'honnête homme que ça restera entre toi et moi.

— Moi, d'où je viens, les honnêtes hommes... je n'y crois pas plus qu'il faut... oh pardon, monsieur, ajouta le mousse en réalisant sa bévue.

— Ça ne fait rien, je comprends. Enfin, je crois. Alors, je te donne ma parole d'ami. A moins que tu ne l'acceptes pas.

— C'est vous que ça concerne et vous seul, monsieur.

— Alors si c'est cela, parle. Ne crains pas. Ne sommes-nous pas amis?

— Ce n'est pas pour vous déplaire, monsieur, mais l'amitié, c'est quelque chose que je n'ai jamais connu. Vous ne pouvez pas oublier que je viens d'un monde de chiens errants, où le chacun pour soi règne, quitte à mordre la main qui t'a nourri.

— Réponds-moi franchement, James, quand nous parlons ensemble, as-tu l'impression de pouvoir dire ce que tu penses, as-tu l'impression, parfois, d'oublier que tu as affaire au second?

— Je pense que je peux vous parler franchement. Mais je ne peux pas oublier votre grade.

— Tu veux dire que tu as peur d'aller trop loin et de te retrouver devant le maître d'équipage, attaché au grand mât?

— Quand on appartient à l'équipage, monsieur, il est difficile d'oublier Queue-de-rat... enfin, je veux dire...

— Ça va, j'ai compris.

— Voyez-vous, monsieur, le maître d'équipage ne m'a pas

pardonné un affront récent. Je sais qu'il jouit rien qu'à l'idée de me voir attaché au grand mât.

— A quand est-ce que ça remonte?

— A la découverte des valeurs. C'est d'ailleurs à ce moment-là que j'ai commencé à remarquer, monsieur…

— Nous y voilà. Qu'as-tu remarqué?

— Je dirais de la nervosité, un peu comme si vous vous sentiez traqué. Vous n'allez jamais sur le gaillard d'avant, ou quand vous le faites, vous agissez comme si vous étiez surveillé.

— Et c'est ce qui te préoccupe?… Il y a d'autres hommes qui l'ont remarqué?

— Le quartier-maître Bulwark. Il dit que vous avez changé en apprenant qu'il y avait de l'or à bord. Avouez que voir le second inquiet, ça n'a rien de rassurant.

— D'accord, je vais t'en parler, mais je veux ta parole que tu ne le répèteras à personne, pas même au quartier-maître. Il faut éviter la panique à bord. Ai-je ta parole?

— Vous l'avez, monsieur. Ma parole d'ami.

— Ce que je vais te raconter, c'est en France que je l'ai appris. Mais j'ai une dernière question. As-tu remarqué un changement chez l'équipage depuis la découverte des valeurs?

— Les hommes sont moins prudents.

— Mes appréhensions se confirment donc. C'est pour ça que je t'ai donné mon caillou. J'ai le pressentiment que nous courons à la catastrophe.

— Vous voulez dire que nous allons faire naufrage?

— Pas nécessairement un naufrage mais une catastrophe. Il y a différents signes qu'il serait trop long d'expliquer.

— J'aimerais quand même savoir, monsieur. Si vous voulez m'expliquer, bien entendu.

— L'or en soi n'a rien de mauvais. Mais dans certaines cir-constances, ça devient étrange; enfin je ne sais pas comment te dire. Les Grecs croyaient, il y a longtemps, que les dieux étaient innombrables, alors que nous croyons qu'il n'y en a qu'un. Parmi les dieux grecs, il y avait le dieu suprême qu'on appelait Zeus.

«Un roi avait été prévenu que son petit-fils le tuerait et prendrait le pouvoir à sa place. Quand il l'apprit, le roi a décidé d'enfermer sa fille Danaé dans une chambre souterraine. Ne pouvant pas rencontrer d'homme, elle ne pourrait donc pas avoir l'enfant qui réaliserait la prophétie.

«En tant que dieu, Zeus pouvait voir partout, aussi bien sur que sous la terre. Donc, il a vu Danaé, en est tombé amoureux et l'a fécondée par une pluie d'or, exactement ce qu'il y a dans la cale de l'Essex. L'enfant qui est né s'appelle Persée. Tu sais que la figure de proue de l'Essex s'appelle Méduse. Sais-tu quel lien il y a entre elle et Persée? Persée a tué Méduse.

«Méduse avait deux sœurs. A elles trois, on les appelait les Gorgones. Les deux premières étaient immortelles tandis que Méduse, qui eut le privilège de coucher avec le dieu de la mer Poséidon, était mortelle.

«Méduse qui était très belle voulut rivaliser en beauté avec la déesse Athéna, fille de Zeus. Pour la punir, Athéna a changé la chevelure de Méduse en un nid de serpents. Athéna l'a rendue tellement affreuse que dès qu'on la regardait, la personne était changée en pierre.»

— Toute une vengeance!

— Revenons à Persée. Il s'est approché des Gorgones et, pour éviter le regard de Méduse, il a utilisé en guise de miroir un bouclier de bronze bien poli et trancha la tête de Méduse. Tu comprends maintenant?

— Non. Je sais l'histoire de Méduse, mais je ne comprends toujours pas pourquoi vous êtes nerveux et encore moins pourquoi vous parlez de naufrage ou d'une autre calamité du genre.

— Expliquons les choses autrement. Méduse a été tuée par Persée. Te souviens-tu comment Persée a été engendré?

— Avec de l'or… Autrement dit, pour faire une histoire courte, Méduse a été tuée par l'or, et, pour vous, ce serait le signe que l'Essex va être détruit à cause de sa cargaison?

— Voilà, tu as tout compris.

— Mais cela n'explique pas pourquoi vous refusez d'aller au-delà du mât de misaine.

— Comment réagirais-tu si je te disais que j'ai parfois l'impression d'entendre rire la Méduse?

— Vous voulez dire que vous entendez rire la figure de proue?

— C'est ça.

— Ça ne veut pas dire qu'on va à la catastrophe, non?

— Non, mais entendre rire la Méduse, que ce soit mon imagination ou non, découvrir qu'il y a de l'or à bord quand c'est l'or qui a perdu Méduse, frôler la mutinerie à cause de cet or, découvrir que les hommes sont moins prudents toujours à cause de cet or, ça suffit à donner la frousse. Et ce n'est pas tout. Sais-tu que la figure de proue a été changée sur ce vaisseau?

— Oui, Michael Bulwark me l'a dit. Il dit que ça ne se fait pas, que ça porte malheur au vaisseau et à son équipage.

— Justement. Je me trompe peut-être, mais je n'arrive pas à m'entrer en tête que ce sont des peurs que je me fais.

— Décidément... Hier, un canonnier discutait avec Michael Bulwark. Il disait être entré dans la marine avec monsieur Prowe et se rappeler que le commandant s'était déjà vanté d'avoir été le premier baptisé dans l'église de sa ville. Et le quartier-maître dit que le premier enfant baptisé dans une église neuve sera réclamé par le diable. Pas de danger pour moi, je n'ai pas été baptisé.

— Sais-tu ce qu'on dit des enfants non baptisés? Qu'ils ne peuvent pas mourir.

— Avec ça, j'allais oublier que Queue-de-rat m'a dit d'écouper le pont. Comme je ne veux pas me le mettre à dos, je suis mieux d'y aller, à moins que vous ayez autre chose?

— Non, ça va. Mais n'oublie pas, pas un mot à personne.

— Je sais, monsieur. J'ai promis.

*

Le vaisseau ayant traversé la zone de perturbations magnétiques, après avoir refait ses calculs, le commandant était allé s'enivrer du parfum de sa vieille complice. Les avant-bras passés dans le filet du bastingage, il contemplait les vagues, admirant cette force tranquille qui faisait osciller le vaisseau.

Il ne se préoccupait de rien ni personne, ne voyant ni n'entendant quoi que ce soit outre la mer et la frégate. Il était fier de cette commission. Il n'avait jamais eu à se plaindre du Norfolk qui avait précédé l'Essex dans son cœur, mais avec ses qualités, le brigantin n'avait ni la taille, ni la souplesse et encore moins la finesse de la frégate. Quant au coup d'œil, aucune comparaison possible entre les deux, la frégate remportait la palme.

Le commandant ne vit pas le maître d'équipage. Il voguait sur des souvenirs que constituaient plus de vingt ans de marine militaire, sans parler de son apprentissage, de sa passion de la mer, son coup de foudre pour cette généreuse épouse rencontrée plus de trente ans plus tôt.

Depuis ce temps, William Prowe l'avait vue sous tous ses aspects; calme comme au matin d'une nuit de désirs assouvis, frétillante et frémissante comme une pucelle qui va connaître enfin les plaisirs ensorceleurs de la chair, sèche et coriace comme un morceau de morue salée. Il l'avait vue aussi noire, coléreuse, la gueule béante, la broue aux lèvres, assassine, capable et prête à tout détruire sur son passage.

Il aimait tout en elle. Il aimait ses yeux bleus, il était éperdument fou de ses formes généreuses, s'enivrait encore et toujours de son parfum, adorait son ventre creux, il était heureux à la vue de sa poitrine lorsqu'elle se cabrait, amplifiant volontairement ses petits seins dressés. Il prenait plaisir à regarder le vent nouer ses tresses blanchies.

Même après une violente tempête où elle s'était nourrie de la chair humaine, elle avait persisté dans sa générosité. Il l'aimait parce qu'elle était elle: la mer. Il était pris d'une passion dévorante pour elle à tel point que sa seule déception face à la mer s'exerçait lorsqu'il arrivait au port et devait jeter l'ancre.

Qu'adviendrait-il si un jour la mer venait à le repousser? Si le roi lui interdisait de revoir son épouse, s'il cassait son mariage? Jamais il n'y avait songé et préférait éviter de le faire. Il était heureux avec la mer; c'était tout ce qui comptait. La terre pouvait bien continuer à tourner sans lui. Lui ne pouvait vivre sans la mer.

*

A la faveur de la nuit, le maître d'équipage se promenait sur le pont, prêt à enclencher la manœuvre qui mènerait le mousse au grand mât. Ce sale petit avorton paierait son crime. Il verrait qu'on ne l'appelait pas Queue-de-rat sans danger.

Les risques étaient énormes, mais il aurait sa vengeance. Bulwark avait beau le protéger, comme les autres quartiers-maîtres qui feraient front commun par solidarité, ainsi que Bowsprit qui ne pouvait qu'être un espion à la solde de la France, Galloway n'y échapperait pas.

Le maître d'équipage saurait faire comprendre au vieux qu'il s'était montré trop bon en prenant à son bord ce petit voyou sorti du fond des ruelles de Bristol. Ainsi, le lieutenant-espion ne pourrait rien faire, parce que c'était le commandant qui décidait. L'espion ne pourrait que se taire.

Il fallait avoir la ruse d'un maître d'équipage pour trouver comment piéger cet avorton mal fagotté qui se donnait des airs de petit bourgeois depuis qu'il rencontrait l'espion. Un peu trop souvent d'ailleurs.

Le sale petit bâtard ayant des antécédents, le commandant n'aurait aucune difficulté à tomber dans le panneau et à condamner ce petit voyou à un minimum de cent coups de fouet. Et, ce qui ne gâtait rien, ce mioche, ce pou, ce minable avait pris des forces depuis Bristol. Avec un peu de chance, il ne s'évanouirait pas avant le cinquantième coup au moins.

Et pourquoi pas faire pencher le commandant vers une punition d'exemple, une vingtaine de coups par jour, pour faire durer le plaisir. Ce sale petit va-nu-pieds ne serait pas long à le supplier, lui, le maître d'équipage, d'accepter ses excuses.

Gilbert voyait déjà le mousse attaché au grand mât, nu comme au jour de sa naissance, se trémoussant comme une chenille au bout de son fil. Que ne donnerait-il pas pour le fouetter sur tout le corps, jusqu'au sang. Au moins, ça ferait un prétexte à l'espion pour lui peloter les fesses. Parce qu'une telle assiduité de la part du mousse à se rendre au poste de l'espion ne pouvait que cacher une relation inavouable. Donc, lorsqu'ils se retrouveraient ensemble, l'espion pourrait le dorloter tant qu'il voudrait. Mais il devrait le faire en douceur sous peine d'ameuter l'équipage.

Ce serait une bonne chose qu'ils l'ameutent. L'espion serait forcé, devenu la risée collective, en arrivant à Québec, de demander au vieux de le relever de sa mission, lui permettre de rentrer en Angleterre par un autre vaisseau. Si les vents se maintenaient, on n'était plus qu'à deux jours de Québec. Il fallait passer aux actes avant que le poisson ne lui file entre les doigts.

Gilbert résolut de descendre à la cale à la faveur de cette nuit où les épais nuages se faisaient complices de sa machination. Sur place, il repéra facilement l'un des coffres éventrés. Y plongeant la main, il ramassa tout ce que ses cinq doigts lui permirent de saisir.

Refermant son autre main sur le trésor de peur d'échapper une pièce dénonciatrice, Gilbert remonta en catimini rejoindre la salle où les hommes dormaient. Il repéra vite le coffre flambant neuf sur lequel figuraient les initiales J.G. Mais il devait faire vite, les nuages commençaient à laisser filtrer la lune.

Le commandant avait été trop bon d'autoriser le charpentier à prendre du bois appartenant au vaisseau pour lui fabriquer un coffre. Et les hommes avaient donné à ce morveux de quoi le remplir. Des vêtements, des livres et quantité d'autres objets, un pur luxe. Au moins, lui ne s'était pas laissé prendre par la belle gueule de l'avorton.

Ouvrant le coffre, Gilbert en sortit une chemise qui avait fait plus que son temps, mais dont le mousse ne voulait pas se départir. Avec mille précautions, il y glissa le contenu de sa main. Nouant la chemise, il la plaça au fond du coffre avant de la camoufler sous le caban du mousse, puis referma le couvercle.

Henry Gilbert se releva, arborant un sourire où bourgeonnait un bonheur non atteint depuis longtemps. La paix retrouvée, il retourna à sa chambre où il s'endormit bientôt, bercé par la vengeance assouvie qui venait de s'enclencher.

*

Le lendemain matin, dès qu'il vit le commandant sortir de sa chambre, Gilbert qui épiait la porte depuis plus d'une demi-heure s'avança à la rencontre de Prowe.

— Bonjour Gilbert. Des problèmes?

— Non, monsieur, sinon une interrogation qui m'est venue

pendant la nuit. D'après ce que vous avez dit hier, nous devrions atteindre Québec demain.

— Je n'ai pas encore fait mes relevés, mais en effet, nous devrions y être demain. Quant à l'heure, je serais bien embêté de vous le dire. C'est ce qui vous a tenu éveillé? Je ne savais pas que les atterrages d'un port vous étaient si agréables. A moins que ce soit ces conquêtes du beau sexe qui en soient la cause.

— Non, monsieur, ce n'est pas ça.

— Alors qu'est-ce qu'il y a?

Le maître d'équipage cherchait à dénoncer le mousse, mais il craignait que l'accusation soit perçue comme un subterfuge. Un filet de transpiration ruissela le long de sa colonne vertébrale. Etait-ce le début de la jouissance ou une conséquence de sa nervosité? Gilbert eut été incapable de le dire. Il résolut de tenter une approche différente de celle imaginée.

— Qu'est-ce qu'il y a, Gilbert, parlez, nom de Dieu.

— Monsieur, hasarda le maître d'équipage qui roulait machinalement l'extrémité de son fouet entre le pouce et l'index, ne croyez-vous pas qu'il serait sage de faire une vérification?

— Quel genre de vérification? Gilbert, cessez de tourner autour du pot. Si vous avez quelque chose à dire, parlez.

Pris au piège, il ne restait à Gilbert que deux possibilités: soit tout oublier, soit lâcher le morceau. Il lâcha donc.

— C'est que, monsieur, les hommes vont courir les femmes et rapporter à bord des poux, des morphions ou des souvenirs.

— Ils ont le droit de faire ce qu'ils veulent avec leur solde, ça ne nous regarde pas.

— Oui monsieur, mais on n'en a jamais assez de sa solde...

— Ce n'est pas moi qui fixe les montants, Gilbert.

— Je sais, monsieur, mais il y a, à bord, un vrai trésor.

— Ces valeurs sont la propriété du roi. Ne me demandez pas de le piller pour vous accorder une augmentation. Je pourrais le prendre pour un acte de rébellion et vous faire pendre au grand hunier.

— Non, monsieur, je suis satisfait de ma solde...

— Vous êtes bien le seul, commenta le commandant.

— Les hommes peuvent être tentés d'arrondir leur solde en

pillant la cale, monsieur. Vous êtes le commandant mais ne croyez-vous pas qu'il serait sage de fouiller l'équipage, pour vous assurer que personne n'a ce qui appartient au roi?

— Oui je comprends, mais je mènerais à dure épreuve la susceptibilité des hommes. Faire une telle inspection revient à dire que je n'ai pas confiance.

— Je peux dire monsieur, que c'est dans leur intérêt, que s'ils font mine de se révolter, c'est qu'ils ont des choses à cacher et vous êtes d'autant plus justifié d'inspecter. Je peux faire la fouille sous votre surveillance pour éviter, c'est ce que je leur dirai, monsieur, que vous mettiez vos mains dans leurs affaires. Ils accepteront s'ils n'ont rien à cacher.

«Je ne crois pas que tous les hommes soient capables de voler à bord de l'Essex. S'il y en a, c'est la minorité. Donc, nous prétexterons que la voix de la majorité l'emporte.»

Prowe avait beau connaître Gilbert depuis des années, lui faire confiance pour le recrutement, il n'arrivait pas à voir en lui un homme intègre. Il y avait trop de fourberie, d'hypocrisie chez lui pour qu'il ait une confiance aveugle.

Cependant, malgré les manigances et les bassesses auxquelles Gilbert était prêt pour le utiliser le cordage lui ayant valu son surnom, il avait raison.

— D'accord, je fouillerai aujourd'hui. J'espère ne pas avoir à sévir.

— Je l'espère aussi, mentit Gilbert.

Le commandant se rendit au carré, prit le sextant et sortit pour situer la progression de l'Essex. Depuis le temps, il n'avait pas besoin de feuilleter le Code de la Marine pour connaître la peine des coupables, si coupables il y avait.

Piller un vaisseau, c'était un acte de piraterie. Tous le savaient. Et un acte de piraterie était punissable d'une seule façon, la vergue de grand hunier. Si l'équipage le lui demandait, il se laisserait fléchir, mais il s'agirait alors d'une sentence exemplaire. Même si le bras du maître d'équipage enflait; même s'il en tombait sur le pont.

*

Le soleil à son zénith, le commandant se rendit aux quartiers d'équipage et fit procéder à l'appel général. Rapidement, les hommes s'alignèrent devant William Prowe. Gilbert ayant pris la précaution d'informer les hommes par petits groupes, il avait facilement obtenu l'assentiment général.

— Quelqu'un est-il contre cette fouille? s'enquit Prowe.

— Monsieur...

— Oui, Elgin, vous êtes contre?

— Non, monsieur. Mais j'en ai parlé avec les autres quartiers-maîtres et nous avons conclu que si vous fouillez les effets, vous devez le faire pour tous les hommes. Vous devez fouiller les hommes de main, les gradés, et les canonniers. Même les quartiers-maîtres. Comme j'ai la conscience en paix, je demande à être le premier fouillé. Mais vous devez passer vraiment tout le monde... même le maître d'équipage.

— Cela me paraît judicieux. Vous disiez que vous vouliez être le premier?

— Monsieur..., coupa Gilbert. Ne croyez-vous pas que nous devrions commencer par le pied de l'échelle plutôt que par le milieu? Il me semble logique de commencer par le mousse.

— Monsieur, j'ai demandé à être le premier; vous me l'avez accordé. Vous ne pouvez revenir sur votre parole. A moins que...

Tandis que le maître d'équipage trépignait d'impatience, le commandant regardait le quartier-maître dans les yeux.

— A moins?

— J'accepte, monsieur, de ne pas être le premier, si c'est le maître d'équipage qui l'est.

— Comment? s'enquit le commandant dont le visage trahissait la surprise.

— Ne serait-ce que pour donner confiance aux hommes, monsieur, si vous commencez par le maître d'équipage et j'appuis sur le fait que c'est vous qui fouillez, vous prouvez qu'il n'y a pas de passe-droit à bord.

— Vous faites preuve de bon sens. Je suivrai votre suggestion. Nous commencerons par le maître d'équipage. Les quartiers-maîtres seront présents en tout temps. Quant aux autres, ils peuvent rester ou partir. Nous commençons par la bordée de jour;

en attendant d'avoir fini, la bordée de nuit prend la relève. Exécution! Gilbert, ouvrez-nous le chemin.

A regret, le maître d'équipage avança, voyant sa vengeance prendre du retard. Mais ça prouverait qu'on pouvait avoir confiance en lui. Peut-être le commandant y verrait-il une occasion de montrer sa reconnaissance et lui accorderait une récompense sous une forme ou une autre.

En entrant dans la chambre, William Prowe fit signe à Gilbert de demeurer sur le pas de la porte pendant qu'il fouillerait. Les quartiers-maîtres entrèrent avec le commandant.

— Voyons voir dans les souliers de rechange, commenta le commandant, joignant le geste à la parole. Renversant les souliers, il les remit ensuite à leur place. ...le tiroir de sa table, continua-t-il en se dirigeant vers le meuble. Il l'ouvrit puis le referma, constatant qu'il était vide et propre.

«...Maintenant son sac, ajouta-t-il, il est joliment plein».

— Monsieur, c'est mon linge sale, intervint le maître d'équipage, vous ne trouverez, de toute façon, rien ici.

— A voir son poids, continua le commandant en soupesant la poche, ou vous avez beaucoup de linge sale, ou vous mentez. Comme c'est du linge sale, vous ne m'en voudrez pas si le renverse sans faire attention.

Avant que Gilbert ait pu répliquer, le sac se retrouvait sens dessus dessous. Quelques vêtements sales sortirent, suivis d'une série de queues de rat de longueurs variables.

— Vous les collectionnez, Gilbert? s'enquit le commandant, tandis que les quartiers-maîtres et les hommes épiant la scène de l'autre côté de la porte ouverte s'esclaffaient.

Se penchant, le commandant prit un des bouts de corde et l'examina. Il fut effrayé en remarquant sur la corde des taches brunes. De toute évidence, du sang.

— Mais vous êtes un abject sanguinaire, Gilbert! Vous me dégoûtez! Je préfère sortir, vous me faites lever le cœur...

— Monsieur, son coffre...

— Je n'en ai plus le courage, Bulwark.

— Alors, monsieur, vous devrez oublier les hommes, autrement vous seriez injuste.

Pâle, le commandant se plia davantage qu'il ne se pencha pour ouvrir le coffre tandis que le maître d'équipage demeurait sur le pas de la porte. Fouillant à tâtons, William Prowe fut alerté par un son métallique étouffé au fond du coffre.

Tirant, il fit apparaître une chemise qu'il avait déjà vue, certes, mais pas sur le dos de Gilbert. Les yeux agrandis par la surprise, le maître d'équipage regardait, estomaqué. Reconnaissant la chemise, le commandant s'adressa à Michael Bulwark.

— N'est-ce pas la chemise du mousse? questionna-t-il.

— En tous les cas, ça lui ressemble, monsieur.

— Qu'on aille me chercher Galloway tout de suite.

— Je suis ici, monsieur, émit la voix familière tandis que, du coude, le mousse se frayait un chemin à travers les curieux.

— Dites-moi, Galloway, n'est-ce pas votre chemise? Qu'est-ce qu'elle fait ici?

— Je ne le sais pas, monsieur. Tout ce que je peux dire, c'est que je n'y suis pour rien.

— On verra. Le mousse est sous votre responsabilité, Bulwark. Vous allez l'ouvrir pour qu'on voie ce qu'elle contient.

— Je n'en ferai rien, monsieur. Vous ne pouvez oublier mon parti-pris. Le mousse a ma confiance, malgré cette chemise. Nous avons demandé que vous fassiez la fouille. Si un équipage n'a pas confiance en son commandant, il n'a qu'à en changer, ce qui n'est pas le cas.

— Monsieur, intervint Gilbert, puisque cet hypocrite a mis sa chemise ici, pourquoi ne pas la lui faire ouvrir? Ensuite, il expliquera pourquoi il l'a cachée ici. Je suis d'ailleurs surpris que ce petit morveux n'ait pas été assez intelligent pour garder sa chemise, s'il voulait qu'on m'accuse.

— Monsieur, intervint à son tour le quartier-maître O'Connor, puis-je me permettre une suggestion? Personne ne niera que je n'ai pas de parti-pris. Je peux, si vous voulez, ouvrir cette chemise. Je suis prêt à me faire fouiller si quelqu'un met en doute mon honnêteté.

— D'accord, ouvrez-la.

Le mousse gardait, livide, les yeux rivés sur sa chemise. Gilbert l'épiait, ses mains moites triturant l'extrémité du fouet. Il était fier du piège quoique, pendant un instant, voyant le vieux sortir la chemise incriminante de son coffre, il eut l'impression que le faux-pont se dérobait sous ses pieds.

Maintenant, c'était indéniable, le mousse serait lié au grand mât avant une demi-heure. Mais comment faire durer le plaisir? Comment faire pour que l'avorton passe plusieurs fois d'affilée par le grand mât?

Quel plaisir ce serait de le fouetter sur les blessures de la veille, avant qu'elles aient cicatrisé? Puis, tandis que le quartier-maître s'avançait vers la chemise, il eut un éclair. «Je vais demander au commandant une faveur, se dit-il. Je dirai que, puisque ce bâtard a cherché à m'inculper, c'est normal que j'aie le droit d'étirer sa sentence.»

Malgré la frénésie de son cerveau, Gilbert ne quittait pas le gamin des yeux. Il constatait le changement opéré par la mer. Lui qui se perdait dans ses chemises à Bristol avait une carrure plus marquée. Bien qu'il n'en avait pas actuellement, son visage avait pris des couleurs malgré une nourriture pitoyable.

O'Connor avait pris la chemise d'une main et, de l'autre, la dénouait. Tous les yeux, à l'exception de ceux de Gilbert, étaient rivés à ce bout de tissu si mince qu'il laissait filtrer les éclairs jaunâtres lancés par l'or. Même sans l'avoir vu, le mousse savait ce qui se cachait dans sa chemise. Comment se faisait-il qu'elle soit dans le coffre de Queue-de-rat?

Il se souvenait de sa première conversation avec John Bowsprit, où ce dernier avait dit que les pirates étaient pendus à la vergue du grand hunier. Lui qui ne savait rien faire d'autre que survivre s'était dès lors appliqué à être d'une honnêteté à toute épreuve. Michael Bulwark avait affirmé qu'au moindre vol, il serait soupçonné, voire même accusé. Comment faire comprendre au commandant que c'était une machination?

Absorbé par la main de O'Connor, il ne sentait pas les doigts trapus de Bulwark profondément entrés dans son épaule. Celui-ci ne réalisait pas davantage la pression exercée sur son protégé. Son sort étant lié à celui du mousse, il ne le rejoindrait pas à l'autre extrémité du grand hunier, mais il passerait par le bas grand mât, perdant automatiquement la confiance du commandant et des matelots. Il serait désormais la risée des autres quartiers-maîtres. Autant dire que sa carrière arrivait à son terme.

Il serait tellement anéanti qu'il ferait aussi bien de demander au vieux d'accompagner le mousse dans le châtiment suprême. A ce moment, le nœud cédant, les pièces d'or roulèrent sur le sol dans un joyeux tintement de liberté retrouvée.

Personne, excepté Gilbert et Bulwark, ne vit que le mousse avait perdu conscience. Chacun était subjugué, hypnotisé par la danse du métal jaune. Pour Gilbert, le temps était venu de fixer le dernier nœud aux poignets du gamin.

— Avant de recevoir ses aveux, il faut lui fairer reprendre conscience. Qu'on aille chercher de l'eau.

— Il n'est pas coupable, commenta Michael Bulwark penché sur le mousse. Je ne peux pas le prouver, mais je suis certain qu'il n'est pas coupable. Dieu m'est témoin que je voudrais savoir comment tout ça s'est produit.

Un matelot entra avec un bac d'eau qu'il lança au visage du mousse.

— Levez-vous, ordonna Prowe. Expliquez-vous!

— Je ne peux pas, monsieur. Mais je ne suis pas coupable.

— La belle affaire, riposta Gilbert, il n'a pas perdu conscience pour rien. Malgré tout, même s'il a cherché à m'incriminer, je veux être généreux. Je demande, monsieur, que vous leviez cette sentence. Je sais que son geste mérite un châtiment; libre à vous de prononcer la sentence que vous voudrez, mais je demande grâce pour lui, en mon nom et au nom de l'équipage.

Gilbert était fier de son plaidoyer. A voir les traits du commandant, si un autre demandait grâce, ce serait dans la poche. Le mousse irait directement au grand mât. Enfin... Et Michael Bulwark s'avança. «Ça y est, ça y est, il va demander grâce, songea Gilbert. Je savais que je pouvais piéger ce petit morveux. Quel fin stratège je fais! Voyons si cet abruti va être assez éloquent pour faire fléchir le commandant.»

— Je demande moi aussi, monsieur, grâce, balbutia Bulwark. Je l'ai dit et je le répète, je ne peux pas le prouver, mais il n'est pas coupable. Si vous refusiez, comme je suis responsable de lui, je demande à partager sa sentence.

Gilbert jubilait. Il aurait le morpion et l'abruti. C'était plus qu'il n'en pouvait espérer. Quel grand jour!

CHAPITRE V

«Debout marins mes camarades
Je vais chanter l'âme du bord
Cet ange du ciel s'évade
Pour écarter de nous la mort...»
Alexandre Lotadé

— Monsieur, fit Elgin en s'avançant. La farce a assez duré. Permettez-moi de mettre un terme à cette bouffonnerie.

— Quoi? rétorqua le commandant. Vous pensez que j'ai envie de rire, peut-être?

— Non, monsieur. James a dit vrai, il n'est pour rien dans cette affaire. J'en ai la preuve.

Pendant que Gilbert perdait ses couleurs en voyant le mousse lui échapper, ce dernier, rivé aux lèvres de Robert Elgin, reprenait sa coloration, en se dandinant d'un pied sur l'autre.

— Vous le savez, monsieur, j'ai souvent embrassé le grand mât parce que j'avais dit ce que je pensais. Je fais serment de ne dire que la vérité. Le mousse n'est coupable que d'avoir appelé Gilbert «Queue-de-rat». Tout le monde l'appelle comme ça, mais pas dans le blanc des yeux.

«Bulwark nous en avait parlé à ce moment-là, à O'Connor et à moi. Je ne sais pas s'il en a parlé à Davidson, mais nous étions au moins trois à savoir que le mousse devait se tenir sur ses gardes. Puis, à la longue, nous avons fini par oublier.

«Quand vous avez dit que demain nous serions à Québec, nous avons convenu de demander aux hommes, s'ils avaient pris quelque chose, d'aller le porter dans un coin précis, nous étoufferions l'affaire. Le délai expiré, sans avertir, nous avons fouillé les coffres et les sacs.

«Nous savions qu'il y aurait une fouille, à cause de la cale...

73

Tant que les caisses étaient fermées, vous seul saviez qu'il y avait dedans. Maintenant, tout le monde sait. Nous avions convenu que si quelqu'un avait gardé quelque chose, nous le dénoncerions. Bulwark a fouillé le coffre du mousse devant moi. Il n'y avait rien qui vienne de la cale dans ses affaires.

— Evidemment! intervint Gilbert qui tentait de reprendre l'initiative. Ce sale avorton l'avait caché dans mon coffre.

— Non! trancha Robert Elgin. Et encore une fois je le prouve. La chemise, cette chemise était dans son coffre!

— Comment pouvez-vous être si affirmatif? opina le commandant.

— Facile, monsieur, j'ai pris la chemise et j'ai dit à Bulwark que je ne comprenais pas qu'il la garde. Elle n'est même plus bonne comme torchon. Ce n'en est pas une autre, il n'en avait qu'une dans cet état.

— Forcément, puisque l'autre était ici, répliqua Gilbert.

— Vous savez que c'est faux. Pourquoi je l'ai remarquée, je ne le sais pas, mais j'ai remarqué que le cordon de col avait deux nœuds d'un côté et n'en avait pas de l'autre.

— C'est peut-être une habitude qu'il a, hasarda le commandant.

— Si c'était le cas, monsieur, celle qu'il a aujourd'hui aurait un cordon identique.

— D'accord, mais ça n'explique pas qu'elle soit ici.

Le maître d'équipage voyait sa proie lui échapper et ça n'avait rien d'agréable. Il devait vite trouver une contre-offensive. Sa parole prévaudrait contre celle d'un quartier-maître, mais il lui faudrait alors faire preuve de conviction.

A voir l'intérêt que le vieux portait à Elgin, il commençait à douter de la culpabilité de l'avorton. Heureusement, il y avait cette pièce à conviction qui ne tromperait personne. Elle était bien là, cette maudite chemise. Personne ne pouvait le nier. Si Elgin n'avait pas la mémoire phénoménale qu'on lui connaissait. Si au moins, il n'avait pas été là quand l'abruti avait ouvert le coffre. Lui aussi paierait pour s'être mis en travers de sa route. Il verrait qu'on ne s'opposait pas impunément à Henry Gilbert.

Le temps d'un éclair, le maître d'équipage vit apparaître une bouée de sauvetage. Il s'y agrippa de toutes ses forces.

– C'est facile, monsieur. Ce petit bâtard que vous avez embauché avec trop de générosité est spécialiste des coups de dernière minute. Il a été engagé sur la foi d'un mensonge. On sait ce qui attend les voleurs. Remarquez que je me demande, à le voir nier, pourquoi j'ai été généreux au point de faire appel à votre magnanimité.

«D'ailleurs, monsieur, pour sauver l'honneur de l'équipage et de l'Essex, vous avez vous-même payé pour un de ses vols. Vous savez aussi, monsieur, comment ce dégénéré sait agir avec impulsion. Il vous a forcé la main en mentant pour être mousse sur l'Essex. Malgré la bonne foi du quartier-maître, ce gibier de potence a volé ces pièces et cherche à me faire accuser.

«D'après Elgin, hier la chemise était dans le coffre de ce dégénéré. Je veux bien le croire. Mais aujourd'hui, la chemise est pleine de pièces d'or et, comme par magie, elle est rendue dans mon coffre. Ce n'est quand même pas moi qui l'ai mise là!»

Gilbert jubilait. Il avait si bien ficelé le mousse qu'il lui était impossible de sortir du piège. Il était fait jusqu'à l'os, comme une mouche prise dans une toile d'araignée. Avec cette argumentation, ne restait qu'à entendre la sentence. On pourrait alors passer aux choses sérieuses, aux choses agréables.

Quelle bonne idée il avait eue de ressortir le souvenir de Bristol des mémoires de chacun, la plaie était ouverte à nouveau, béante. Qu'elle était belle! Elle promettait de douces jouissances pour le maître d'équipage. Ayant été le premier à implorer grâce, le vieux lui demanderait conseil quant à la sentence à imposer. Il suggérerait une peine où l'humiliation rejoindrait la souffrance: le fouet, mais nu... Ainsi le mouse serait humilié devant tous.

– Là-dessus, Elgin, le maître d'équipage a raison. Le mousse a des antécédents connus de tous. Alors, qu'est-ce qui prouve son innocence?

– C'est moi qui le dit, monsieur.

– La belle affaire, contre-attaqua Gilbert. Pauvre imbécile!

– Monsieur, reprit Elgin, je voudrais poser un geste, même si je dois être mis aux arrêts par la suite. Mais je vous demande de me laisser terminer ce que j'ai à dire, avant. M'autorisez-vous, monsieur, à poser ce geste?

— Je ne sais pas où vous voulez en venir, mais allez-y.

Elgin se tourna vers Gilbert qu'il toisa. Il ferma le poing avec une pression telle que ses jointures blanchirent. Prenant son élan, il appliqua un solide coup de poing sur le nez du maître d'équipage. Chancelant, celui-ci regarda le commandant avant de commenter, cinglant:

— Je vous jure, Elgin, que vous allez me payer ça!

— Elgin, vous êtes aux arrêts, trancha le commandant.

— Monsieur, vous m'avez donné votre parole que vous m'écouteriez avant.

— Alors faites vite. Ma patience a assez duré.

Avant de faire face au commandant, Elgin regarda Gilbert droit dans les yeux.

— Vous m'écœurez, Gilbert. Sous monsieur Prowe, j'ai combattu la racaille et j'espérais en avoir fini avec les gens de votre espèce. Ce coup, c'est pour m'avoir traité d'imbécile.

«J'affirme, monsieur, et Dieu m'est témoin que je dis la vérité, que tout n'est qu'une machination de Queue-de-rat, le pire déchet que l'Angleterre ait connu.

«Le moucheron est arrivé à bord en menteur et voleur, c'est vrai. Queue-de-rat nous l'a rappelé pour mieux l'écraser. Il a payé sa dette. Pas plus que les autres, au début, je ne lui faisais pas confiance. Aujourd'hui, monsieur, je lui offre mon amitié et il la mérite largement.

«Chacun doutait de lui, je ne pense pas mentir en disant qu'il a acquis notre confiance et a gagné l'amitié de plusieurs. J'ai été long à fléchir, j'ai la méfiance tenace. Avant de toucher à un cheveu du moucheron, Queue-de-rat devra me passer sur le corps. A moins qu'on me prouve que le moucheron soit vraiment en tort, il est assuré de ma protection contre tous.»

Le mousse écoutait, subjugué. Bulwark, dont la main trapue était retournée sur son épaule lui chuchota à l'oreille:

— Ecoute, fiston, regarde comme elle est belle, la franchise. Je sens que la brise tourne. Je le savais, mon bonhomme que tu étais innocent.

Le mousse écoutait les deux hommes, grisé. C'était tellement nouveau, cette ferveur qu'on mettait à le défendre. Bien sûr, il se savait innocent, mais comment le dire au commandant et être écouté?

— Sa seule faute, reprit Elgin, c'est de s'être mieux adapté à notre bouffe que nous. Si nous avions son passé, nous serions moins difficiles. Pas plus que les autres, quand j'ai fini mon quart, je n'ai pas envie de me laver ou de laver mon linge.

«Tous, monsieur, nous savons que le moucheron n'est pas en vacances à bord. Je l'ai vu, certain jour, descendre au faux-pont si éreinté que je pensais qu'il s'endormirait avant d'arriver à son hamac. Pourtant, même ces jours-là, il se lavait, se changeait et lavait son linge. J'en suis venu à détester voir son hamac où séchaient ses vêtements en permanence.

«Si cette chemise qui l'accuse est usée, ce n'est pas à cause du travail mais à force de la laver. Est-ce sa faute si, en arrivant à Québec, les filles lui sauteront dessus comme des mouches et nous laisseront là comme un vieux caleçon troué? Il est accusé de vol parce qu'il est intelligent et, en quelques semaines, il est devenu un homme. Je devrais me taire, comme ça, en arrivant à Québec, j'aurais un peu de chance. Mais j'aime mieux me passer de filles que de voir punir un innocent.

— Vous avez un beau plaidoyer, Elgin, intervint le commandant, mais vous ne nous avez pas encore dit comment vous entendiez prouver son innocence. Je ne demande qu'à vous croire, mais j'ai besoin de preuves.

— J'y viens, monsieur. Vous le savez, monsieur, je suis Gallois. Dans mon pays, on dit qu'avaler une cuillère d'eau de mer tous les matins aide à vivre jusqu'à un âge vénérable. Je ne sais pas si c'est vrai, mais pour ce que ça coûte... Toutes les nuits, je prends ma ration. Pourquoi la nuit? Je n'aime pas faire rire de moi. Quand mes hommes dorment, je me lève pour prendre ma cuillère avant de retourner me coucher. Ni vu ni connu.

S'arrêtant brusquement, Elgin regarda un à un les hommes présents. Chacun le dévisageait et l'écoutait religieusement excepté Gilbert qui arborait, sous sa moustache de sang fraîchement coagulé, un large sourire où, bien qu'analphabète, Robert Elgin lisait en lettres majuscules, le mépris. Aussi rapide qu'un éclair, sa main vola vers le visage du maître d'équipage.

– J'ai dit, reprit Elgin, que je n'aime pas qu'on rie de moi.

– Vous n'aviez pas mon autorisation, objecta le commandant.

– C'est vrai, monsieur, mais s'il a volé l'or, il n'a pas volé la claque.

– Quoi? Vous dites que le maître d'équipage a fait ce vol?

– C'est ce que j'ai dit, monsieur.

– Ridicule, riposta Gilbert qui, à son tour, sentait le vent tourner.

– Davidson, O'Connor, emparez-vous du maître d'équipage. Elgin, encore une fois, j'ai votre parole?

– Je vous l'ai dit, monsieur, Dieu m'est témoin que c'est la vérité. La nuit dernière, je me suis réveillé comme d'habitude pour aller prendre ma ration. J'entendais quelqu'un descendre, alors j'ai décidé d'attendre que l'individu remonte pour aller boire. Je ne pouvais pas voir qui c'était, la lune étant cachée.

«D'après le bruit de ses pas, la personne est descendue à la cale. Il n'était donc pas question pour moi de me lever tout de suite. Avant que l'individu regagne le pont, les nuages se sont dissipés. Quand il est remonté, j'ai attendu qu'il passe devant le sabord ouvert pour savoir qui c'était.

– Comment se fait-il qu'il y ait un sabord ouvert de nuit? s'enquit le commandant.

– C'est que, monsieur, le gamin dit que ça lui rappelle l'époque où il couchait à la belle étoile. Alors, nous en avons discuté entre nous et décidé de lui accorder cette faveur en précisant que si la mer forcissait, le mantelet serait refermé immédiatement. Je sais, monsieur, que nous aurions dû vous le demander mais nous ne l'avons pas fait. C'est ce qui m'a permis de voir.

– On y reviendra; continuez votre récit.

– Bien monsieur. J'ai vu Queue-de-rat passer devant le sabord et s'arrêter devant le coffre du gamin. J'ai compris que quelque chose se préparait. J'ai vu cette charogne ouvrir le coffre de James et prendre une chemise qu'il a posée sur ses genoux. Il a mis dedans ce qu'il avait dans les mains et a attaché le tout avec un nœud de chaise.

«Je précise, parce que c'est le seul nœud que le moucheron ne connaît pas encore. Ensuite, Queue-de-rat a remis la chemise

78

dans le coffre, l'a recouverte avec son caban, il a refermé le couvercle et s'est relevé. Et il est reparti.

— C'est un mensonge, répliqua Gilbert dont le sang avait déserté le visage.

— Il y a une chose que je ne comprends pas, Elgin, fit remarquer le commandant. Comment se fait-il qu'elle soit dans le coffre de Queue-de... je veux dire dans le coffre de Gilbert.

— C'est que, monsieur, ça sentait la machination à plein nez. J'ai attendu d'entendre Queue-de-rat ronfler et je me suis levé. Je suis allé faire ce pour quoi je m'étais réveillé. Ensuite, je suis allé au hamac du gamin pour m'assurer qu'il dormait.

«J'ai ouvert son coffre, j'ai tâté la chemise et j'ai compris que je ne pouvais pas la laisser là. Je l'ai prise, telle quelle, et je l'ai apportée ici pendant que Queue-de-rat dormait.

«Ce matin, j'ai raconté la chose à O'Connor et j'ai dit que je voulais en parler à Bulwark. Il a prétendu que si Bulwark l'apprenait, il égorgerait Queue-de-rat. Voilà, c'est tout. Et je le redis, monsieur, Dieu m'est témoin que c'est la vérité.

— Je vais le tuer, rugit Bulwark en avançant sur Gilbert qui tentait de se libérer de l'emprise de ses gardiens pour esquiver l'attaque du quartier-maître transformé en fauve.

— Bulwark, arrêtez c'est un ordre, lança William Prowe. Quoique je me demande si je ne devrais pas vous laisser régler cela vous-mêmes. Mais le mousse a aussi son mot à dire.

— Monsieur, je suis lié par toute accusation concernant le petit. Moi, j'ai toujours su qu'il était innocent et à cause de ce crapaud de mer...

— Vous oubliez qu'il a été le premier à demander grâce.

— Queue-de-rat me fait vomir, ne prenez pas son parti, monsieur. Si mon homme avait été pendu, ça serait arrêté là. Mais si la pendaison tombe, le fouet la remplace. Quand on voit sa collection, on ne se demande pas pourquoi il a demandé grâce. En autant que cet individu ait une conscience, monsieur, elle seule l'a fait demander grâce.

«Ça ne sert à rien de nier l'évidence, monsieur, il ne faut pas oublier qu'il y a eu vol et, comme Elgin l'a dit, c'est ce reste de charogne qui en l'auteur...

– Une chose à la fois. En attendant que j'aie décidé de son sort, O'Connor, Davidson, descendez-moi cet individu à la cale et mettez-le aux fers. Mais avant, petit, y a-t-il quelque chose que tu voudrais faire entendre au maître d'équipage?

Le mousse retroussa la mèche qui barrait son front. Il fit deux pas vers Gilbert et s'arrêta puis enleva sa chemise et son pantalon qu'il remit au quartier-maître Bulwark. Demeuré nu, il regarda le commandant.

– Je ne me suis pas dévêtu, monsieur, pour me donner en spectacle. Les rats aiment les ordures et ils transportent des maladies. Je préfère me laver après avoir approché celui-ci, que d'être obligé de désinfecter mes vêtements. Vous savez, d'où je viens, j'en ai vu par centaines, des rats. J'ai l'habitude.

Il s'avança encore vers le maître d'équipage pour s'arrêter à un pas de lui. Ce dernier fut assailli par une bouffée de désir. Galloway tentait de fixer Gilbert dans les yeux, mais l'homme, regard fuyant, évitait les yeux de braise.

– Vous ne déguerpissez pas devant le chat pour rien. Cessez donc de ramper et marchez à quatre pattes comme les vôtres!

Le garçon renifla avant de jeter au visage du sadique, un crachat verdâtre. «Maintenant, ajouta-t-il en se retournant vers le commandant, excusez-moi monsieur, j'ai besoin de me laver.»

– Bien, James. Mais je veux te voir avec les quartiers-maîtres au carré dans trente minutes.

– Bien monsieur.

– Maintenant, O'Connor, Davidson, allez me mettre cet individu à fond de cale. Puisque la cargaison l'intéresse, il pourra l'examiner en attendant que je décide de son sort. Tout le monde à son poste, la bordée de jour reprend son service.

*

Le commandant se retrouva enfin seul, ne sachant que penser. Il avait beau demander conseil à sa complice, elle demeurait muette comme pour lui rappeler que, si elle commandait à ce qui était étranger au royaume des hommes, à bord, il ne recevait d'ordres que de Dieu. Dieu l'ayant toujours laissé s'occuper seul de ses navires, William Prowe se sentit abandonné.

Ne serait-ce que par justice, il devait punir Gilbert. Mais quelle punition lui infliger? La pendaison? Il détestait jusqu'à l'idée de cette sentence. Depuis qu'il commandait des vaisseaux, presqu'à toutes les fois qu'il avait eu une sentence de mort à imposer, il s'était accroché à la première demande de grâce.

De mémoire, un seul individu, parmi le personnel qui avait vogué sous ses ordres, aurait droit à la corde sans recours possible à la grâce, son ancien second, Andrew Brook. Après ce crime, Gilbert ne pourrait plus se faire respecter. Mais le remplacer par qui? A qui donner le fouet et le sifflet?

Il en était là de ses réflexions lorsqu'arriva Elgin.

— Monsieur, les hommes attendent. Préférez-vous remettre cet entretien à plus tard?

— Non. J'y vais.

*

Lorsque tous furent entrés au carré, William Prowe fut un temps avant d'aborder le sujet. Il savait pourquoi il les avait convoqués, mais comment le dire? Il n'allait pas rejeter la perche tendue par O'Connor.

— Monsieur, je ne connais pas vos intentions pour le reste du voyage. Mais ça me sera désormais impossible de me plier aux ordres de Gilbert. Je ne parle que pour moi, mais je ne suis pas le seul dans ce cas. Je sais qu'Elgin et Davidson sont d'accord.

— Bulwark?

— Vous m'en avez empêché tout à l'heure, monsieur, mais vous ne pourrez pas le défendre vingt-quatre heures par jour. J'ai dit que j'allais le tuer et je n'ai pas changé d'idée. Et ne me parlez pas de sa demande de grâce. Ne le prenez pas en pitié. J'attends de connaître sa punition avant de vous donner mon appui.

— Je pense aussi que Gilbert n'a plus la confiance des hommes. Avant d'aller plus loin, Elgin a dit que vous aviez fouillé le coffre de James devant lui. Pourquoi avez-vous attendu qu'il soit là?

— C'est simple, monsieur. Depuis que James est sous ma responsabilité, je me suis attaché à lui. Mon fils aurait son âge aujourd'hui s'il n'avait pas été emporté par la peste la même semaine que ma femme. En voyant James, c'est comme si je voyais l'enfant que la mort m'a enlevé. Sachant son passé, quand vous me l'avez confié, j'étais loin de vous porter dans mon cœur.

«Mais je m'y suis habitué au point de le protéger. Il n'a pas encore l'expérience pour agir avec l'instinct qui fera de lui un grand marin, mais il a la connaissance. Ne me reste plus qu'à lui rentrer dans la tête comment faire ce foutu nœud de chaise.

«J'ai pensé que si je fouillais seul le coffre du petit, on pourrait jaser, prétendre que je couvrais un voleur parce qu'il est mon protégé. Il n'y avait qu'une façon de faire taire les mauvaises langues, attendre un autre quartier-maître pour ouvrir son coffre. C'était facile, le petit m'avait dit qu'il n'avait rien et je le croyais.

— Et si vous aviez découvert quelque chose?

— Nous avions une entente que j'aurais respectée. Je l'aurais dénoncé moi-même. Si le piège avait été honnête et que mon gars s'était fait prendre, j'aurais dit «t'as couru après, mon bonhomme, subis-en les conséquences». Mais le piéger par hypocrisie, le faire accuser par rancune, je ne peux pas l'accepter.

Bulwark se mit à parler plus lentement, comme poussé par l'effort ou l'émotion, pesant chaque mot, chaque syllabe.

— Il savait que même si je demandais grâce, ce serait différent. Comment accorder une faveur qui sauvera celui que le demandeur protège? Je suis un vieux marin qui ne sait rien d'autre que faire son métier le mieux possible.

«Je ne sais ni lire ni écrire, j'ai une tête de cochon. Je me suis marié parce que ma belle-famille m'a obligé de rendre à ma femme l'honneur que je lui avais dérobé. Autrement, avec la tête que j'ai, je n'aurais pas trouvé à me marier. Je sais peu de choses, juste assez pour ne pas être l'idiot du village.

«Je ne suis pas déçu de ne pas être celui à qui James doit la vie. Quand on peut donner d'un coup toute l'affection qu'on avait toujours voulu donner; par surcroît, la donner à quelqu'un qui en a toujours manqué, on s'estime heureux. Et si quelqu'un d'autre sauve la vie de celui qu'on considère comme un fils, quand on s'appelle Michael Bulwark, on lui dit merci parce que les mots nous manquent pour dire plus; merci parce qu'il a sauvé le seul être qui a encore de l'importance dans notre vie. On lui dit merci et on demande à Dieu de le bénir.»

Lorsqu'il cessa de parler, un silence chaud emplit la pièce. Même entre hommes de mer, habitués à la dure, personne ne se formalisa de voir une larme roulant sur la joue du quartier-maître, aller se perdre dans les rides du cou où, mêlée à la transpiration causée par l'effort, elle passerait inaperçue. Personne non plus ne prêta attention au reniflement sonore.

Le secret couvait en son cœur comme un volcan depuis longtemps. Maintenant, il avait laissé couler l'excès de lave, James Galloway aurait beau renier son père adoptif, jamais Michael Bulwark ne pourrait renier celui qu'il avait élu.

Elgin rabattit une main velue sur l'épaule de Bulwark, pendant que William Prowe dévoilait le but de la rencontre.

— Bon. Nous avons quelqu'un aux fers attendant sa sentence et je voudrais votre avis. Je sais qu'il y a la Loi, mais j'aimerais régler ça autrement.

— C'est facile, monsieur, rétorqua O'Connor. Vous n'avez qu'à lui donner la sentence qu'il prévoyait pour le mousse.

— Il n'a jamais dit ce qu'il envisageait.

— Monsieur, intervint Davidson qui s'était retranché jusque-là dans un mutisme absolu, je sais qu'il y aura des réticences, mais pourquoi ne pas remettre la décision au principal intéressé?

— Tu t'imagines qu'il va demander à être pendu par le grée-ment? riposta O'Connor.

— Vous m'avez mal compris. Ce n'est pas de Queue-de-rat que je parle. Son hypocrisie visait le mousse. Qu'il décide.

— Oui, obtempéra le commandant, c'est logique. Alors, James, que proposes-tu?

— Si ce n'est que de moi, monsieur, il n'en aura pas. Son vol a été découvert, je suis innocent, pour moi ça suffit.

— Ta générosité te perdra, fiston. Ça te suffit peut-être, mais il doit être puni, répliqua Bulwark.

— Alors, décidez sans moi. Ce n'est pas au mousse de choisir la sentence du maître d'équipage. Comme je n'ai plus rien à faire ici, je vous demande, monsieur, le droit de me retirer.

— Puisque tu y tiens... Quant à nous, messieurs, nous revoilà au point de départ, conclut le commandant consterné.

— Pas nécessairement. Puisque mon idée ne satisfait pas le moucheron, monsieur, si personne n'a de solution de rechange, j'en ai une autre, ajouta Davidson.

— Je n'en vois qu'une: la Loi de la Marine, coupa Bulwark. Il a volé, c'est de la piraterie. Il n'y a qu'une sentence prévue, la pendaison. En plus, il a cherché à faire accuser un autre à sa place. La Loi est là, monsieur, et je demande qu'elle soit suivie à la lettre.

— J'aimerais quand même entendre Davidson.

— Queue-de-rat aime les coups tordus, monsieur. Servons-lui sa propre sauce. Comme on a dit tout à l'heure, l'idéal c'est de lui donner la sentence qu'il prévoyait pour James. Il suffit de le lui faire dire.

— Tu t'imagines qu'il va tout dire? C'est un dégénéré, mais il est plus malin que ça.

— Il est malin mais nous pouvons le piéger.

— Et vous avez une idée comment? intervint le commandant.

— Oui, monsieur.

— Je vous écoute.

*

Pendant ce temps, dans la cale, Gilbert sentait progressivement ses bras s'engourdir. Il avait l'habitude de relever le bras, mais avec un fouet; il le rebaissait avec force. C'est ce qui en avait fait l'homme le plus détesté à bord. Quant à avoir des remords, Gilbert n'en avait aucun.

Il sentait des picotements aux mains et le long des bras mais le reflux du sang dans les membres supérieurs ne se continuerait pas indéfiniment. S'il pouvait se concentrer sur sa circulation sanguine, peut-être pourrait-il sentir son sang monter en quantité suffisante jusqu'à ses ongles. Mais il n'y arrivait pas.

Les quartiers-maîtres n'avaient pas respecté l'ordre. Il devait être mis aux fers. Non seulement il n'y était pas, ce qui lui aurait assuré une liberté relative, mais on l'avait attaché avec des nœuds coulants à la poutre que soutenaient les épontilles.

Gilbert ne se créait pas de vaines chimères, seul le commandant pourrait changer la situation. Si on venait à la cale et qu'il demande qu'on distende les nœuds, il aurait droit au même mépris qu'il avait montré jusqu'à maintenant envers l'équipage. Ne lui restait plus qu'à subir et se taire.

Mais pourquoi le commandant ne descendait-il jamais? Etait-ce à cause de la phobie maladive de tout commandant pour les rats? La noirceur omniprésente jusqu'en devenir palpable qui obligeait, malgré les réserves de munitions, à descendre avec une torche? L'humidité constante? Gilbert l'ignorait.

Pour la première fois depuis qu'il était maître d'équipage, il était dans la situation de forban; Gilbert se demandait pourquoi le commandant lui avait ignominieusement imposé le châtiment des fautifs. Il ne lui serait pas venu à l'esprit qu'il avait une part de responsabilité dans ce châtiment. On l'avait outrageusement fouillé devant les hommes et les sous-officiers.

Lorsqu'il reprendrait son poste, ce dont il ne doutait pas, après ce fâcheux contretemps, les hommes se tiendraient sur leurs gardes. Il devrait faire payer son humiliation. Chaque coup devrait porter double. Chaque sentence devrait faire couler le sang. Ainsi, chaque queue de rat serait bonne à conserver.

Il se réjouissait déjà en voyant, fixé au gui, le jeune morveux qui lui avait craché au visage. Il sentait son membre durcir en évoquant cette image qui lui avait chaviré les esprits, le mousse nu, offert rien qu'à ses yeux.

Que n'aurait-il pas donné pour le prendre et l'amener à la jouissance, lui faire goûter le plaisir qu'aucune femme, il l'aurait juré, ne lui avait procuré. S'il pouvait envoyer l'avorton à fond de cale à son tour...

Plus, il le ferait attacher nu, et, dès que l'autre serait parti, il lui attacherait les jambes, écartées, pour éviter une rebuffade. Et là, il ferait couler ce membre. Combien faudrait-il de temps pour en venir à bout? Peu lui importait. Il y prendrait un soin particulier.

Quant à l'abruti qui prétendait le tuer, Gilbert ne s'en préoccupait pas. Il paierait. Que se passerait-il s'il le forçait à une immersion jusqu'au cou tant que ses pores ne se seraient pas gorgées d'eau, avant de lui imposer le fouet? Le sang ne coulerait peut-être pas, il l'ignorait, mais il savait qu'il arracherait des cris de bête agonisante à cet homme qui s'interposait entre lui et le mousse qui le hantait.

Le seul fait de l'entendre à l'avance demander d'achever ses souffrances par une balle rendait à Gilbert sa propre sentence bénigne. De toute façon, ce n'était, comme les hommes disaient, qu'un mauvais moment à passer. L'Essex ne pouvait voguer sans maître d'équipage.

Personne ne pouvait combler son poste. Tous étaient minables ou abrutis, c'était donc vite réglé. Le vieux n'aurait pas d'autre choix que mettre fin à sa sentence. Ce n'était qu'une question d'heures, de jours, tout au plus.

Québec approchait, mais qu'aller faire dans une ville fortifiée dont il ne comprenait pas la langue? C'était une escale rêvée pour le lieutenant-espion, l'équipage courrait derrière les jupons. Mais il avait à bord tout ce qu'il pouvait espérer et davantage. Pourquoi diable se préoccuper de cette escale?

D'ailleurs, le vieux l'avait dit, le trésor servirait à l'achat de bois. Même s'il ne connaissait pas la valeur du bois, Gilbert savait qu'avec cette fortune à quelques brasses de lui, on avait de quoi remplir la cale. Il n'y aurait plus de place ici. Le vieux serait forcé de le libérer. Quelques heures, quelques jours, tout au plus.

Fallait garder la tête froide et oublier les repas à venir. L'équipage le détestait. Quand viendrait l'heure d'apporter son repas, il y aurait toujours un gros malin pour mettre son écuelle par terre, lui disant de se servir. Evidemment, lié à la poutre, c'était impossible. Il voyait déjà les rats se jeter sur le plat, sans se soucier de ce chat noir de malheur.

Pourvu que ce croqueur de rats ne vienne pas se faire les griffes sur lui! Il avait déjà à peine à supporter l'odeur omniprésente de ce félin marquant son territoire partout. Cette odeur de musc lui donnait la nausée. Gilbert n'avait jamais aimé les chats. Ce n'était pas maintenant qu'il était livré poings liés à la merci de l'un de ces immondes animaux, qu'il changerait d'idée.

Il avait déjà vu le mousse flatter cette bête immonde et l'horreur lui avait aussitôt parcouru le corps. Quant au commandant, s'il ne faisait pas bon ménage avec ce matou contorsionniste de la croupe, il était indifférent à cette présence insolite à bord. Les chats détestent l'eau, c'était connu, alors que faisait-il sur un vaisseau? Gilbert se le demandait lorsqu'il entendit des pas approchant l'échelle de la cale. Il vit bientôt apparaître le halo de la torche que l'homme portait à la main.

Un qui vient assouvir ses basses vengeances, pensa Gilbert. Si cet imbécile peut tasser sa torche pour que je puisse voir, ça servira quand il sera attaché au grand mât. Ils s'y retrouvent tous tôt ou tard et rien n'empêche de lui forcer la main. Ça avait failli réussir avec l'avorton, par la faute d'Elgin, tout avait échoué.

Mais au fait, comment Elgin avait-il pu le voir? Le faux-pont était trop sombre. A la rigueur, peut-être le distinguer, mais le voir? Impossible. Tout ça n'était qu'un tissu de mensonges.

Elgin paierait aussi. A-t-on idée d'accuser le maître d'équipage? Il prétendait ne pas avoir de parti-pris pour le mousse nu, mais c'était faux. Personne ne l'aimait, même le vieux. Comment l'aurait-il condamné, autrement? Il oubliait que c'était grâce à lui qu'il avait un équipage à peu près digne de ce nom. Quant à Cairn, pour la place qu'il prenait à bord après avoir abattu Owen, valait mieux ne pas y penser.

Tous aimaient le mousse, à des degrés divers, pour des raisons différentes. Il avait entendu le vieux dire que l'avorton était pour lui comme un fils. Normal, se dit Gilbert, quand on fait l'amour avec un vaisseau, on ne peut pas en avoir d'enfant. Bulwark protégeait ce bellâtre, comme s'il portait encore des langes. Difficile de prétendre qu'il ne l'aimait pas.

Elgin avait même dit devant tous qu'il lui offrait son amitié. Personne n'avait prêté attention à cette profession de foi. Pas même le vieux. Fallait qu'ils l'aiment leur mousse, pour accepter de dormir avec un mantelet ouvert. Et le lieutenant-espion, lui, ça crevait les yeux... On ne peut pas ne pas aimer celui qu'on tripote, qu'on masturbe, auquel on fait mille et une caresses plus perverses les unes que les autres. Ce foutu espion aurait de la difficulté à faire croire le contraire. Oui, c'était de l'adoration que l'espion éprouvait pour lui.

Elgin paierait et cher, se promit Gilbert au moment où il vit apparaître le visage de Neil Brown devant lui.

— Je ne sais pas ce qu'il veut, le commandant m'envoie vous détacher. Il dit de vous rendre au carré immédiatement.

— Seul?

— Vous devez connaître suffisamment l'Essex pour ne pas avoir besoin que je vous guide.

— C'est ça, fais le malin pendant que tu le peux. Avant longtemps, tu regretteras ton air supérieur. J'en ai cassé des plus coriaces que toi.

— C'est ça, en attendant, si vous ne voulez pas profiter de la lumière, ça vous regarde, moi je n'ai pas de temps à perdre.

Brown reprit la torche fixée à l'épontille et retourna au faux-pont, précédant de quelques pas le maître d'équipage. Gilbert se frotta vigoureusement les poignets pour chasser l'engourdissement, ravi de se savoir enfin libéré de l'étreinte du chanvre.

Le commandant avait donc compris qu'il lui était impossible de faire avancer le vaisseau s'il ne l'avait pas pour assurer la discipline. Personne ne s'y entendait sur le sujet comme lui. On pourrait donc reprendre les tâches là où elles avaient été laissées par la faute d'Elgin.

Lorsqu'il frappa à la porte, Gilbert n'avait plus gardé de souvenirs de la cale que pour alimenter sa vengeance. Les stries marquant ses poignets ne le faisaient nullement souffrir d'autant moins que d'autres paieraient pour ce contretemps. Il fut surpris de voir, lorsque le commandant ouvrit, que les quartiers-maîtres étaient présents, de même que deux hommes tenant Elgin.

— J'ai d'autres informations qui peuvent vous innocenter. Si ce que Davidson dit est vrai, d'ici quelques instants, Elgin sera aux arrêts de rigueur. Il avait juré et tout semble un mensonge. Davidson, pouvez-vous faire votre déclaration sous serment?

— Oui monsieur. Je jure de ne dire que la vérité, ajouta-t-il en plaçant la main sur le livre ouvert posé sur la table.

— Je vous écoute.

— La nuit dernière, monsieur, j'étais de quart. J'ai passé la nuit sur le pont. Lorsque le maître d'équipage est descendu à sa chambre, Elgin est venu me voir.

«Il voulait piéger Gilbert parce qu'il en avait assez de sa discipline de fer. Je lui ai dit que le piège se retournerait contre lui, mais il n'a pas voulu écouter. Il a dit, monsieur, que le maître d'équipage n'avait pas la compétence pour ce poste. Il voulait prendre lui-même sa place. Il m'a dit aussi qu'il avait l'appui d'un autre quartier-maître.»

— Lequel?

— Il a dit que si je voulais savoir, monsieur, fallait que j'embarque avec lui. J'ai dit que c'était un acte de mutinerie qui menait à la pendaison. Il a répondu que j'étais une mauviette.

— Et quand il vous a quitté?

— Il allait régler le cas de moucheron puis celui de Gilbert, monsieur. Il l'a dit devant vous dans la chambre du maître d'équipage: il en voulait au mousse à cause de son linge à sécher sur le faux-pont et, à cause de sa beauté, Elgin ne pourra pas avoir de filles à son goût à Québec.

— Et quand vous avez parlé de mutinerie, qu'a-t-il répondu?

— Il a dit, monsieur, qu'une mutinerie, c'était envers le commandant. J'ai répondu que c'était valable pour toute autorité; il m'a envoyé me faire foutre.

William Prowe savait que Davidson avait une imagination délirante, mais il était estomaqué de sa rapidité à inventer. Son aisance dépassait l'entendement. Ce pseudo-interrogatoire avait fait ressortir qu'Elgin pouvait être maître d'équipage et Davidson semblait disposé à se plier à ses ordres. Autrement, il n'aurait pas songé à en faire un mutin convoitant le poste de Gilbert.

Pendant la discussion, Gilbert écouta, d'abord perplexe puis, de plus en plus attentif. Ainsi, ce moins que rien avait cherché à s'octroyer ses privilèges. Pour un temps, tous l'avaient cru. Suffisamment pour qu'il se retrouve à la cale, lié comme un vulgaire malfaiteur.

Maintenant que le vent tournait, fallait une sentence digne de ce malin. Pas question qu'il descende à Québec. Ainsi, ce serait vrai, le mousse aurait toutes les filles qu'il voudrait. En outre, le fouet. Et Pourquoi pas une semaine à fond de cale au pain et à l'eau?

Le piège avait fonctionné. Comment Gilbert réagirait-il en comprenant qu'il était tombé dans le piège comme un apprenti? William Prowe eut aimé revenir en arrière, mais personne ne pouvait plus arrêter la machine. Fallait aller jusqu'au bout.

— Elgin, vous êtes aux arrêts de rigueur. Dawson, Larkin, vous savez ce que vous avez à faire, alors exécution! Quant à vous, Bulwark, O'Connor, je n'ai plus besoin de vous; retournez à votre travail.

— Je savais, monsieur, que vous reconnaîtriez mon innocence. J'ai servi fidèlement le roi et vous ai secondé de mon mieux.

Pendant que les hommes sortaient, Davidson fit un clin d'œil à ses trois collègues avant de s'avancer vers Gilbert, lui tendant la main.

— J'espère que vous ne m'en voulez pas de ne pas avoir parlé dans votre chambre. Je craignais de me faire lyncher par les hommes. J'ai préféré venir donner ma version au commandant.

— Je comprends, Davidson, répliqua le maître d'équipage. Je n'aurais pas agi autrement. Nous avons tous appris aujourd'hui qu'Elgin était arriviste. Je m'en doutais, maintenant j'en ai la preuve. Heureusement qu'il reste dans l'équipage, un homme assez loyal pour faire sortir la vérité. J'espère ne pas avoir à exécuter une sentence sur le quartier-maître Davidson.

— Si vous avez à le faire, répliqua Davidson, j'aurai agi contre le règlement. Je ne pourrai m'en prendre qu'à moi.

— Comme je suis conscient de vous être redevable, je ne porterai plainte que contre O'Connor. Contrairement à vos ordres, monsieur, j'ai été attaché avec des cordages à la poutre, ce qui a limité mes gestes.

— D'après moi c'est O'Connor qui est de connivence pour vous renverser.

— Non. D'après moi, c'est Bulwark. C'est possible que les deux le soient, mais je suis certain pour Bulwark. Je pense que c'est lui qui a fait miroiter à Elgin la possibilité de prendre ma place. Il m'en veut depuis notre départ d'Angleterre. Rappelez-vous dans ma chambre, il a dit qu'il allait me tuer. Enfin, monsieur, on peut rependre le travail où nous l'avons laissé.

— Si vous pouvez reprendre le travail là où vous l'avez laissé, pour ma part, je ne peux laisser ce manque à la discipline impuni.

— Ce sont vos obligations, monsieur. C'est l'une de tâches du commandant, comme les miennes incluent que je les exécute. Je suppose que c'est difficile pour vous comme ce l'est pour moi.

— Oui mais, enchaîna le commandant, je ne sais quelle peine imposer. J'ai pensé que, étant victime, vous pouviez me donner des suggestions.

— Moi, monsieur? hésita Gilbert.

Il supposait avoir été assez convainquant pour faire croire qu'il s'en jugeait indigne, mais espérait que Prowe maintienne sa proposition. Pour Davidson, le moment était venu de jouer sa dernière carte, souhaitant que Gilbert l'invite à rester.

— Maintenant que j'ai prouvé mon intérêt pour la justice, monsieur, puis-je retourner à mon travail?

— Un instant, intervint Gilbert. Si monsieur Prowe a besoin de conseils, peut-être pourrez-vous amener des suggestions.

Tandis que le commandant et le quartier-maître jubilaient sur la facilité avec laquelle ils avaient emmené Gilbert à sauter dans la fosse, à l'extérieur, O'Connor et Bulwark exultaient. Bulwark s'éloigna de la porte à pas feutrés, avant de héler le mousse.

— Tu refuses d'écouter, tu vas manquer le meilleur. Descends et dis à Elgin de se dépêcher s'il veut connaître sa condamnation.

Le mousse partit vers l'échelle menant au faux-pont. Lorsqu'il revint avec Elgin qui alla aussitôt se placer en position d'écoute, Bulwark l'attendait toujours au même endroit.

— Je ne te force pas, petit, mais si j'étais toi, j'écouterais. C'est la deuxième fois que tu lui échappes. Tu vas avoir droit à ta ration et, avec Gilbert, ce sera salé.

— Je n'aime pas les pièges. On m'y a trop poussé pour vouloir y voir tomber un autre, même Queue-de-rat. Il me hait, je le hais, nous sommes quittes. Ça me donnera quoi de savoir? Au fond, je le plains. Il est tombé dans un piège aussi malhonnête que le sien. Si je piège un salaud parce qu'il a piégé quelqu'un, je ne suis pas moins salaud que lui.

— Dis donc, James, tu me parais bien scrupuleux tout à coup.

— Parce que je ne suis pas d'accord avec vous. Si j'allais écouter ce qu'a à dire ce salopard, vous ne diriez rien. Si ce n'était pas que je ne lui dois rien et que je vous dois beaucoup, Michael, j'entrerais pour lui dire de se taire parce qu'il prépare le nœud qui servira à le pendre. Rien ne sert d'insister, vous perdez votre temps.

De l'autre côté de la porte, Davidson était sidéré. Il ne comprenait pas que tant de haine puisse se concentrer en un seul homme. Gilbert était né pour haïr comme d'autres le sont pour porter couronne. William Prowe n'en croyait pas davantage ses oreilles.

Il comprenait tout à coup l'ampleur de la folie de son maître d'équipage. Avec les sentences qu'il proposait, le moindre manque à la discipline prenait des allures de régicide. Si John Bowsprit avait été témoin des propos de Gilbert, il lui eut facilement reconnu une parenté avec les bourreaux de l'Inquisition.

Mais le second était absent et s'en félicitait. Il n'avait pas à se préoccuper des hommes dont l'oreille était rivée à la porte. Ils avaient la bénédiction du commandant. Non, le lieutenant ne voulait pas savoir ce qui se passait par-delà la porte.

— C'est ce que je propose, monsieur, ajouta Gilbert en guise d'épilogue. Vous n'êtes pas tenu de donner ces sentences, mais je crois qu'elles serviraient la discipline.

Ebahi, William Prowe ne savait que dire. Il avait toujours répugné à donner une sentence de mort. Il était soulagé d'un fardeau qui pesait depuis des années sur sa conscience. Ainsi, la pendaison prenait des allures de récompenses, comparée aux sentences d'un Gilbert livré à lui-même.

— Pensez-y, monsieur, mais faites vite. Les hommes sont comme des chiens. Il faut les punir assez tôt pour qu'ils rattachent la punition à la faute.

«Maintenant que je reprends mes fonctions, monsieur, permettez-moi d'aller me débarrasser de cette senteur de matou. D'autant plus que votre bougie n'éclaire pas. J'ai hâte de me retrouver dans la lumière, sur le pont.»

Davidson remarqua en effet que la bougie projetait une lueur bleutée. La croyance populaire affirmait qu'une bougie éclairant de la sorte annonçait le gel ou une mort en mer. Il ne tenta pas d'épiloguer sur les alternatives, sachant que le maître d'équipage venait, par ses conseils, de signer son propre arrêt de mort.

La bougie coulait, formant un linceul, ce qui présageait, disait-on, la mort prochaine pour la personne la plus près de la bougie. Mais, d'où il était, il avait l'impression que le commandant en était plus près que Gilbert.

Ouvrant la porte, Gilbert se retrouva face aux quartiers-maîtres demeurés hors de la pièce. Il fut surpris de constater que, au centre, Elgin trônait. Gilbert n'arrivait pas à en détacher ses yeux chargés de haine. Au terme de longues secondes de stupeur, il finit par se ressaisir.

— Qu'est-ce que vous faites ici? Vous êtes aux arrêts.

— En quoi ça te regarde, Queue-de-rat, répliqua Elgin s'efforçant à mettre toute l'insolence possible dans sa voix.

— Rendez-vous, Elgin. Vous deux, Bulwark et O'Connor, allez me remettre cet individu aux fers. Et puis non, Bulwark, vous êtes de son côté. C'est vous qui l'avez détaché. Vous me paierez ça, espèce de gibier de potence.

Se tournant vers Davidson, Gilbert vit qu'il souriait. Se méprenant sur la raison, il l'interpella.

— Oui, Davidson, vous au moins, vous êtes pour la justice. Descendez-moi cet énergumène et mettez-le aux fers. Dépêchez-vous, on a autre chose à faire que de s'occuper d'un mutin.

Davidson s'avança et se saisit de bras gauche de Gilbert.

— Qu'est-ce que vous faites?

— Gilbert, reprit Elgin tandis que O'Connor se saisissait du bras droit du maître d'équipage, vous n'avez rien compris.

— Mais c'est une mutinerie. Vous serez moins fier quand viendra le temps de payer et que vous serez pendu.

— Vous êtes trop bête, riposta Elgin, je vais vous expliquer. D'abord, je vous répète que vous êtes aux arrêts. Il fallait savoir quelle sentence vous vouliez donner au mousse pour que, par justice, nous vous la donnions.

— Et le témoignage de Davidson...

— Du bluff!

— Du bluff? Vous oubliez qu'il a prêté serment sur la bible.

— Pardon! intervint Davidson. Sur le Nouveau Testament.

— C'est du pareil au même.

— Pour vous Gilbert, pas pour moi. Si vous êtes de foi anglicane, par ma mère, moi je suis juif. Pour moi, le Nouveau Testament est un livre comme les autres.

L'œil soudain fou, incapable de fixer personne, alternant entre les quartiers-maîtres et le mousse qui se tenait en retrait quelques pas devant lui, comprenant soudain que ce qui venait d'être dit pouvait être vrai, Gilbert regarda le commandant avec de yeux de bête traquée attendant la mise à mort imminente.

— Et vous étiez au courant?

— Non seulement, reconnut le commandant, ils avaient ma bénédiction.

— Vous? Vous que j'ai servi avec la fidélité et la ferveur, d'un chien pour son maître? Vous, monsieur? Vous me paierez ça. Tous!

Réalisant que le piège était peu digne de lui qui se disait juste et magnanime, William Prowe eut voulu faire marche arrière, mais les dés étaient jetés. Il entendait pour la première fois depuis des années, son père lui dire à l'exemple de Socrate que, lorsque le vin est tiré, il faut le boire.

S'il avait su que le piège irait si loin, il aurait refusé le jeu malsain que proposaient ses hommes. Comme le mousse, il aurait refusé de s'embarquer sur cette galère. C'est lui qui avait montré le plus de sagesse, celui de qui on en attendait le moins.

Il tenta de se réfugier derrière la Loi de la Marine qui prévoyait de toute façon la mort, pour l'acte de piraterie, mais sa conscience lui rappela que, presqu'à toutes les fois, il s'était jeté sur la première demande de grâce pour éviter une sentence capitale. Ce qu'il avait refusé de s'avouer lui revenait en force. Il détestait l'idée de la peine de mort.

Il eut aimé que l'un des quartiers-maîtres demande grâce. Mais il n'avait qu'à regarder les visages pour comprendre que, tels des loups sentant pour la première fois depuis plusieurs jours la chair fraîche, ils étaient décidés à mettre à mort.

Gilbert, lui, comprenait que le commandant avait joué à l'apprenti-sorcier. Il était tombé dans le panneau, mais les autres l'y avaient poussé.

Gilbert ne voyait pas la nuance pour un juif, entre les deux livres. Pour lui, juré sur l'Ancien ou le Nouveau Testament, c'était pareil. Dans le présent cas, c'était un parjure. Et le vieux avait pris part à cette machination.

Il eut aimé se retrouver libre, face à Prowe. Il aurait payé sa diabolique machination. Payé de sa vie. Tandis que la frégate valsait sous ses pieds pour lui faire comprendre qu'il rejoindrait bientôt les profondeurs océanes, Gilbert savait que si un combat s'était engagé entre lui et le commandant, il aurait entraîné William Prowe de l'autre côté de la vie.

D'autant plus facile que le vieux n'avait plus ni la souplesse ni l'entraînement de l'équipage. Tandis que ses yeux de bête traquée fourrageaient les environs, il fut attiré par le poignard au ceinturon de Davidson. S'il était assez affûté pour couper des cordages, se dit Gilbert, il pouvait suffire à la tâche.

Sautant dessus comme sur une planche de salut, Gilbert profita de la surprise pour se défaire de ses gardes et, levant le bras armé, sachant que c'était là l'ultime tentative du condamné, comme un cerf repoussant l'instant de la mise à mort continue à charger sur la meute, il se rua sur le commandant.

William Prowe et les quartiers-maîtres étaient figés de stupeur. N'ayant rien perdu de la scène depuis que les hommes étaient sortis du carré, le mousse bondit sur Gilbert à la vitesse de l'éclair. S'engagea alors une brève dispute entre les deux hommes.

Gilbert avait pour lui la force, mais le mousse avait l'agilité et l'habitude des combats de ruelles. Il prit vite le dessus et, après avoir retourné le couteau contre l'agresseur, se laissa tomber de tout son poids dessus. La lame s'enfonça entre deux côtes du sous-officier en perforant un poumon de part en part. Les rugissements de Gilbert laissèrent place à des murmures, à mesure que ses forces l'abandonnaient.

— Pardonnez-moi, Gilbert, je ne pouvais pas faire autrement, conclut le mousse.

— Je jure que je reviendrai me venger, hoqueta Gilbert avant d'être pris par une quinte de toux. Tous, vous paierez, je le jure, ajouta-t-il dans un dernier soupir.

Les mains rouges de sang, le mousse se releva. Bulwark tenta de l'aider et fut brutalement repoussé. Il s'approcha du commandant et essuya ses mains sur la tunique écarlate.

— Puisque vous êtes le commandant et que vous avez participé à cette mascarade, c'est normal que son sang retombe sur vous. Je vous croyais un homme de bien. Vous n'êtes pas mieux que le maître d'équipage et les quartiers-maîtres.

Les quatre sous-officiers s'élançant pour le maîtriser virent tour à tour leur propre chemise maculée du même sang.

— Que son sang retombe sur vous, Elgin, rugit furieux le mousse, et vous O'Connor et vous, Michael. Sur vous aussi, Davidson. Tous, autant que vous êtes, vous me dégoûtez. Ni l'un ni l'autre, vous n'êtes pas mieux que Gilbert.

Puis, se tournant vers William Prowe, il ajouta:

— Ne vous méprenez pas, c'est le commandant que j'ai cherché à protéger. S'il y avait eu deux personnes distinctes, qu'il s'était attaqué à l'homme, vous seriez mort, monsieur!

— James! reprit Bulwark, de grâce, n'empire pas ton cas.

— Laissez-le, intervint le commandant, je lui dois bien ça.

— Vous ne me devez rien. J'ai dit ce que j'avais à dire. Un piège ne mène jamais qu'à perdre celui qui y tombe et celui qui le tend. Maintenant, laissez-moi tranquille, je dois me changer pour la cérémonie. Vous lui devez au moins une cérémonie digne de son rang. Comme vous avez son sang sur la conscience, monsieur, j'espère que vous aurez la décence de laisser présider la cérémonie par le second.

— James!

— Laissez, Bulwark, il a raison.

*

96

Les hommes étaient alignés sur le pont, le commandant avait revêtu son uniforme d'apparat, les quartiers-maîtres avaient changé de chemise. Le lieutenant Bowsprit ouvrit la bible au hasard, ne sachant quel texte lire. Ses yeux furent attirés par le psaume. Il se mit à lire à voix forte et pausée:

«Pourquoi te prévaloir du mal, héros d'infamie, tout le jour ton crime?

Ta langue est un rasoir affilé, artisan d'imposture

Tu aimes mieux le mal que le bien, le mensonge que la justice;

Tu aimes toute parole qui dévore, langue d'imposture.

C'est pourquoi Dieu t'écrasera, te détruira jusqu'à la fin, t'arrachera de la tente, t'extirpera de la terre des vivants.

Ils verront, les justes, ils craindront, ils se riront de lui;

Le voilà, l'homme qui n'a pas mis en Dieu sa forteresse

Mais se fiait au nombre de ses biens, se faisait fort de son crime!

Et moi, comme un olivier verdoyant dans la maison de Dieu,

Je compte sur l'amour de Dieu, toujours et à jamais.»

Les mots retentirent comme un glas dans l'oreille du commandant lorsque le second referma le livre. Ainsi, même les Ecritures donnaient raison au mousse. Il n'était pas mieux que Gilbert. Tandis que les canons saluaient la dépouille, les quartiers-maîtres en venaient aux mêmes conclusions. Si, comme il en avait fait le serment, Gilbert revenait, ce serait juste retour des choses.

*

Poursuivi par la mémoire de Gilbert, William Prowe ne put fermer l'œil de la nuit. S'il allumait une chandelle, il voyait le maître d'équipage, un couteau planté dans la cage thoracique, venu chercher les explications aux questions restées sans réponse. S'il la soufflait, les yeux chargés de haine le poursuivaient dans les recoins de la pièce. Il sortit sur le pont et, plutôt que la voix du vent dans les gréements, celle de Gilbert le harcelait inlassablement.

Ce fut, à ce jour, la pire nuit qu'il eut à passer, aussi loin qu'il se souvienne. Plus conscient que jamais d'avoir la mort du maître d'équipage sur la conscience, William Prowe n'en fut pas moins irrité lorsqu'il entendit frapper à sa porte. Il ne voulait voir personne. Mais les coups persistaient.

— Allez au diable, je ne veux voir personne.

— Monsieur, reprit la voix, les atterrages de Québec.

— Faut-il le dire en français? Je ne veux voir personne.

— Mais monsieur, insista le lieutenant.

Avec furie, William Prowe ouvrit la porte, laissant voir un homme dont l'uniforme était froissé, la barbe hirsute, les cheveux en broussaille. Il n'avait, en ce moment, rien de la prestance habituelle du commandant de l'Essex.

— Qu'est-ce qu'il y a? cingla-t-il. Qu'est-ce que vous voulez que j'en fasse de vos atterrages? Vous êtes incapable de faire mouiller l'ancre? On ne vous a rien appris en France? C'est vrai qu'un pays dont le roi n'est pas capable d'avoir de fils n'est pas très porté sur la chose maritime.

— Je vous ferai remarquer que Louis XV a eu au moins un garçon, monsieur. L'Essex portait, à l'origine, le nom du fils du roi.

— Rien ne prouve que ce soit son fils! Maintenant, laissez-moi. Occupez-vous de l'arrivée si vous en êtes capable. Et que ce soit clair, je ne veux plus voir personne pour aujourd'hui. Allez, allez, ajouta-t-il en poussant le lieutenant hors de la pièce.

Après avoir refermé la porte, William Prowe se précipita sur l'armoire et saisit une cruche de rhum. La débouchant, il s'assit sur son coffre et but, encore et encore.

CHAPITRE VI

«Ce soir, en regardant la mer, j'ai le sentiment
de lui appartenir un peu plus...»
Philippe Jeantot

Depuis l'arrivée devant Québec, pendant que les hommes s'affairaient, John Bowsprit n'en finissait plus de faire ses recommandations au mousse. Bulwark s'était approché, tentant d'ajouter ses commentaires, mais le mousse l'avait vertement repoussé:

— Faites-vous oublier! Je ne sais pas si je vous pardonnerai un jour ce complot, pour le moment c'est trop tôt.

— Il voulait t'avoir et on l'a pris à son propre piège.

— Laissez-moi en paix. N'avez-vous rien d'autre à faire?

— Bulwark, intervint le lieutenant, allez aider les hommes.

— Mais monsieur...

— C'est un ordre, Bulwark.

— Bien, monsieur.

Bulwark s'éloigna, la mort dans l'âme. Comme le commandant, il n'avait pu fermer l'œil de la nuit. Personne n'avait songé à la mort de Gilbert pour justifier son insomnie. On avait pensé que c'était le désir de s'unir aux filles de la ville fortifiée. Mais Québec et ses filles n'étaient pour rien dans l'insomnie de Bulwark. Ni Gilbert. Ou plutôt, il en était indirectement la cause.

Depuis la cérémonie, James le fuyait. Même pendant le repas, quand il s'était approché, le mousse s'était levé pour aller s'asseoir à l'autre bout de la pièce. Son protégé allait jusqu'à l'appeler «assassin» devant tous. Son fils l'avait renié et cette souffrance était insupportable.

Voir le second avec James avant le débarquement était, pour Bulwark, un crève-cœur. Il eut aimé être en face de celui en qui il avait mis tant d'espoirs, pour le prévenir de ne pas descendre avec toute sa solde, ne pas s'aventurer dans les coins louches, ne pas faire de bêtises qu'il regretterait, mais le mousse ne l'écoutait plus. Pire, il le repoussait.

Dans sa chambre, William Prowe, ivre, se débattant contre ses démons, arpentant tant bien que mal la pièce, lançait des appels demeurés autant de cris de détresse sans réponse. La cruche de rhum gisait sur le plancher, vidée de sa vie.

— Ecoutez, Gilbert, ça fait mille fois que je vous dis que je ne suis pas fier de moi. Que dois-je faire pour que vous me foutiez la paix?

«Bien entendu, que je sois saoûl ne vous préoccupe pas, même si c'est à cause de vous. Ça vous passe cent pieds par-dessus la tête. Vous êtes un égoïste, Gilbert. Ce n'est pas ma faute, c'est vous qui avez prononcé votre arrêt de mort. N'essayez pas de faire croire que c'est moi qui vous ai condamné.

«Cessez de me crier par la tête, n'oubliez pas à qui vous parlez. Si vous vous étiez montré plus généreux pour le mousse, ça m'aurait fait plaisir de l'être pour vous. D'ailleurs, dites-moi donc, puisque vous avez toujours raison, Gilbert, ce qu'il avait fait de si mal que ça? Qu'est-ce qu'il a fait qui mérite votre haine à ce point? Ce n'est pas sa faute si vous passez votre temps à le piéger.

«Pour l'amour, Gilbert, cessez de me regarder comme ça. Je ne suis pas un chien. Et arrêter de rire!

«Quoi? Qu'est-ce que vous voulez que ça me fasse que vous vouliez me tuer? Si c'est tout ce que ça prend pour vous satisfaire, tuez-moi et qu'on n'en parle plus. Non je n'ai pas peur de la mort. Je le sais, j'ai des torts, je sais que je ne suis pas le meilleur commandant. Et après? Qu'est-ce qu'il vous a fait?

«Même s'il vous a appelé "Queue-de-rat", ce n'est pas une raison pour le poursuivre jusqu'au jugement dernier. Moi aussi vous m'en donnez, des noms. Pensez-vous que j'ai envie de vous embrasser, quand vous m'appelez "Old Roaring"?

«Vous voyez, vous venez encore de m'appeler comme ça. Et en plus, vous avez le culot de rire.

«Ce n'est pas vrai, c'est James qui vous a tué. Il vous a tué parce que vous attaquiez au commandant. Et il a dit que si je n'avais pas été le commandant, il vous aurait laissé m'assassiner, moi qui le considère comme un fils.

«Vous êtes dégueulasse, Gilbert. Foutez-moi la paix. Non, je ne vous demanderai pas pardon. Plutôt crever!

«Par votre faute, pour la première fois de ma carrière comme commandant, je n'étais pas sur le pont pour faire mouiller l'ancre. Vous n'avez pas besoin de le dire, ni le crier, je le sais que ça vous fait rire. Vous m'écœurez. Et arrêtez de me regarde comme ça: arrêtez de me poursuivre. Pour la dernière fois, cessez de me harceler. Si vous êtes mort, vous ne pouvez que vous en prendre à vous-même.

«Laissez-moi en paix. Par votre faute, je n'ai pas dormi de la nuit et James me regarde comme un assassin.

«Non ce n'est pas vrai et vous le savez. C'est vous qui êtes l'assassin, pas moi!

«Vous n'avez pas besoin de crier, je ne suis pas sourd.

«D'une façon ou de l'autre, ça ne changera rien, vous êtes mort et c'est pour l'éternité!»

*

La pleine lune était haute dans le ciel et le mousse écoutait encore le second. La plupart des hommes avaient quitté l'Essex, la hâte au cœur de retrouver, dans les draps de cette colonie, un peu de la présence féminine qui avait tant fait défaut depuis plusieurs semaines.

— Mis à part le corps de garde et le commandant qui n'est pas sorti de sa chambre, monsieur, nous sommes presque seuls à bord. Je veux bien vous écouter, mais que me vaudront vos conseils s'ils durent jusqu'à ce que nous appareillions? J'aimerais avoir l'opportunité de trouver une fille dans cette ville.

— Tu ne parles pas français, James.

— Vous oubliez, monsieur, que je ne veux pas courir les filles de Québec pour leur raconter des histoires, mais pour leur en faire vivre. Avec le manque de fille que j'ai, si je m'use la langue, ce ne sera certainement pas à parler.

— D'accord abrégeons. Nous sommes ici pour une semaine tout au plus. Le temps de négocier le bois et de le charger à bord, trouver un charpentier à embaucher et nous serons prêts à appareiller. Je te conseille, si tu ne veux pas rester ici, de venir faire un tour dans trois jours. Nous saurons plus précisément à quoi nous en tenir. Et je te le répète, sois prudent.

— Je peux y aller, maintenant?

— Oui, il doit y avoir une baleinière prête à t'emmener à terre. Mais avant, tu devrais faire le tour du vaisseau pour voir si d'autres veulent débarquer.

*

Rosemonde avait toujours su qu'elle était, selon la bible, issue de la côte de l'homme. Cette certitude l'avait poussée, depuis qu'elle avait dû apprendre à voler de ses propres ailes, à tenter de se rapprocher des hommes, se lover sous des bras musclés en quête de chaleur. Elevée par les religieuses, à la première occasion elle leur avait faussé compagnie.

Sans parents, donc sans argent, elle n'eut pas été en mesure de réunir la dot nécessaire pour prononcer ses vœux. Elle ne s'était donc pas fait prier pour ramasser ses maigres effets, lorsque la supérieure lui avait fait comprendre que, n'ayant pas de dot donc pas la vocation, il était temps pour elle d'apprendre à voler de se propres ailes.

La religieuse lui avait fait comprendre que, maintenant qu'elle savait repriser, cuisiner, tenir maison, elle n'aurait aucune difficulté à trouver un homme qui veuille partager avec elle le reste de sa vie, donner de nouveaux enfants à cette colonie française qui ne demandait qu'à se développer.

Fille de l'amour et de la mer, Rosemonde ne perdait aucune opportunité d'aller sur la côte, attirée par l'appel du large, par le chant des sirènes. Si son père était marin, comme on le lui avait appris, elle était née pour porter robe et jupons. Elle ne pouvait donc pas répondre à cet appel, cet attrait qu'exerçait sur elle cette étendue bleue au caractère imprévisible.

L'unique solution résidait dans la quête du bonheur, si éphémère soit-il, dans les bras de marins. L'amour n'ayant que faire des pavillons ou des guerres, Rosemonde était prête à embrasser le monde, pourvu qu'il soit marin. Prête à s'offrir, corps et âme, à celui qui saurait lui parler d'aventure, de vagues et de marées, de varech et d'embruns, du bonheur du large. Et si, par malheur, le marin avait la mauvaise idée de ne pas parler sa langue, elle voulait boire dans ses yeux, jusqu'à la lie, toutes les paroles qu'elle serait incapable de déchiffrer sur ses lèvres.

Autant dire qu'elle avait repéré de loin l'Essex, sachant à l'avance qu'en descendrait un contingent d'hommes parmi lesquels choisir. Avec son expérience des marins, faute d'avoir celle de la mer, Rosemonde savait qu'il y avait à bord des hommes affables, bons et généreux. Mais elle n'ignorait pas que se glissaient dans cet équipage en mal d'amour, des brutes prêtes aux coups et blessures pour avoir ce qu'ils voulaient, du sexe faute d'amour.

Elle avait laissé, sans intérêt, passer les hommes, les uns après les autres, les regardant partir avec d'autres filles, tandis qu'elle demeurait cachée derrière les arbres. Elle l'avait fait une fois, mais plus jamais elle ne s'accrocherait au bras du premier marin à la courtiser. Pourtant, maintenant que les baleinières avaient emmené à terre la majorité des hommes en mal de jouissance, elle regrettait d'avoir été si difficile.

Aussi, lorsqu'elle vit arriver, éclairée par la lune, une baleinière dans laquelle il n'y avait qu'un homme outre les rameurs, elle quitta son repère et s'avança, arpentant langoureusement la grève, afin d'attirer la convoitise de celui qui allait descendre. Elle espérait seulement ne pas avoir affaire à l'un de ces salopards comme ceux auxquels elle s'était déjà frottée, violents, voulant tout prendre sans rien donner en retour.

Lorsque James quitta l'embarcation et vit Rosemonde, il fut ébloui par la belle qui poussait la lune à se camoufler sous une mousseline de nuages. L'astre nocturne enflamma les sangs du mousse. Ses rares rayons caressaient fiévreusement les courbes félines de l'amoureuse, jouant dans ses cheveux aux reflets d'aile de corbeau. Mais ils ne pouvaient se jeter dans les bras l'un de l'autres. Elle, pour juger de l'homme, lui, par manque d'expérience.

James se plaisait à conjuguer le verbe aimer au conditionnel et il avait beau être anglais, il s'y connaissait en conjugaisons. Il regardait, envieux, les formes finement ciselées de Rosemonde. Et plus il la regardait, plus elle lui faisait envie et plus il la désirait. Il était ancré à cette croupe qu'il ferait bon caresser. Ses formes lui donnaient les envies les plus folles, les plus intimes, les plus profondes.

Et plus il regardait Rosemonde, plus elle se sentait épiée, caressée, pénétrée, plus elle sentait monter en elle, une profonde volupté, à mi-chemin entre l'extase et la jouissance, ignorant si elle devait s'offrir à corps perdu, si elle devait lui soutirer la sève de l'amour ou fuir désespérément. Fuir la côte, fuir ces senteurs mâles envoûtantes, fuir les yeux qui fouillaient sous sa robe mieux que l'obscurité, fuir ses propres attentes, fuir ses espoirs d'assouvissement, fuir ses désirs les plus secrets.

Pendant ce temps, voguant comme des bateaux de papier sur des rêves de poisson, les mouettes se faisaient bercer par les rides de l'eau, ignorantes de la convoitise que le corps de la belle faisait naître dans l'esprit de l'homme. Elles ne s'intéressaient pas davantage aux envies de chaleur masculine que Rosemonde ressentait au plus profond de son être, qu'elles ne songeaient à la sueur des pêcheurs ayant regagné la côte. Elles ne se préoccupaient que des restes de poissons qu'elles n'avaient pu ingurgiter faute de place dans leur jabot.

Avec toutes les amours qu'elle avait véhiculées, toutes les attentes dont on l'accusait depuis la nuit des temps, la mer avait résolu de se taire, refusant de s'interposer entre la sirène et son marin. Jugeant que c'était à l'air de s'en mêler, elle se contentait de bercer doucement les goélands qui rêvaient maintenant à ce que le lendemain apporterait à leur bec.

Et l'air, chargé des dernières effluves de l'été indien, porteur de ce mélange de chaleur, de volupté, des fraîcheurs de la nuit, porteur des clapotis des rides de l'eau, se faisait complice, poussant ces deux ombres de la nuit à se rencontrer, à s'unir, à se fondre l'une dans l'autre, à s'assouvir.

Et, dans la rade, le vaisseau, gigantesque coquillage ayant enfin accepté de se départir de sa perle rare, attendait, la gueule ouverte, buveur d'embruns. A peine avait-il craché cette perle, il était prêt à l'offrir, la déposer sur d'autres rivages, en quête d'amours et de voyages. Puisque tout leur était favorable, lentement, Rosemonde s'avança, la lune au dos lui découpant une aura plus sensuelle que permis. Elle put enfin voir ces yeux, promesse de longues heures de lecture.

— Tu viens, chéri? demanda-t-elle avec plus d'espoir dans la voix qu'elle ne l'aurait voulu.

— Tu viens? hasarda en anglais le mousse.

Les tourtereaux se regardant, échangèrent un sourire. Plus expérimentée que lui dans l'univers d'Eros, Rosemonde invita James à la suivre avec un signe du doigt, aussi universel que l'amour. Comprenant qu'elle était désormais de trop dans le décor, lorsqu'elle vit Rosemonde et James se prendre par la taille, la lune se retira définitivement derrière les nuages.

*

A bord de l'Essex, à bout de fatigue et de rhum, William Prowe avait fini par sombrer, à même le plancher de sa chambre, dans un sommeil peuplé de chauchemars où Gilbert venait demander des comptes en compagnie de flibustiers que le commandant reconnut facilement. Gilbert en profita pour l'aviser que d'autres peines l'attendaient dans ce périple, qu'il verrait au cours des prochains jours, des prochaines semaines, l'équipage se retourner contre lui, ajoutant qu'il ne reverrait jamais l'Angleterre.

Le lendemain matin, au terme d'une nuit désastreuse, William Prowe se leva, tenta d'égaliser sa barbe. Ce fut peine perdue, il y fit une encoche, sa main tremblant trop. Finalement, après avoir englouti son déjeuner, il fit appeler le lieutenant et l'aspirant au carré.

— Voici, messieurs, pourquoi je vous ai fait venir. Nous sommes sans charpentier et un vaisseau digne de ce nom doit en avoir un à son bord. D'après ce qu'avait dit Owen, il a certains travaux à faire que sa perte a empêché d'effectuer.

«Comme nous sommes chez les français et vous êtes le seul de nous à les comprendre, monsieur Bowsprit, je compte sur vous pour faire au mieux. Tâchez de nous en trouver un fiable, qui connaît son métier et qui parle anglais. En outre, il nous faut rencontrer le chef de cette colonie, je ne me souviens pas le titre que les français lui donnent...

— L'intendant, monsieur, intervint Bowsprit.

— Bon. Il faut aller le voir avant qu'il fasse pointer les canons sur l'Essex. J'aurais dû m'y rendre hier, mais un léger contretemps m'en a empêché. Vous m'accompagnez, monsieur Bowsprit. Je n'aime pas les interprètes, mais je n'ai pas le choix.

— Puis-je me permettre, monsieur?

— Qu'est-ce qu'il y a, monsieur Cairn?

— Est-il vraiment nécessaire d'aller voir cet... enfin, ce monsieur?

— Evidemment! Ne serait-ce que pour l'assurer de nos intentions pacifiques et pour la sécurité de nos hommes à terre. D'ailleurs, monsieur Bowsprit, qu'est-ce qui vous pressait tant de donner l'autorisation de débarquer? Ne saviez-vous pas que je devais voir cet intendant avant que les hommes débarquent?

— Je pensais, monsieur...

— Vous n'aviez pas à penser. Les règles sont là pour être suivies et celle-ci en est une de bienséance; vous qui avez été éduqué chez ces messieurs qui prétendent en être les maîtres absolus, particulièrement vous, vous auriez dû le savoir. Que ça vous serve de leçon, monsieur Bowsprit... Bon, avec tout cela, où en étions-nous? Ah oui, l'obligation d'aller voir l'intendant.

— Puis-je me permettre, monsieur... Vous dites que vous devez voir l'intendant pour l'assurer de nos intentions pacifiques. Est-ce bien nécessaire?

— Où voulez-vous en venir?

— Nous pourrions profiter d'un effet de surprise pour attaquer cette garnison, nous en emparer au nom du roi d'Angleterre, ce qui serait bon pour notre avancement, monsieur.

— Non, monsieur Cairn. Non sur toute la ligne. Premièrement, avec quels hommes prendrions-nous Québec? Ceux qui sont déjà à terre? Ils ne sont pas armés. Et même s'ils l'étaient, croyez-moi, ils sont pour le moment, plus intéressés à trousser les jupons des filles d'ici, beaucoup plus intéressés à prendre du bon temps qu'à prendre une colonie.

«Deuxièmt, regardez bien ces fortifications. Croyez-vous sincèrement qu'à nous seuls, nous puissions effrayer ces gens? Si vous le croyez, c'est que vous êtes idiot. Il y a cinquante ans, l'amiral Phipps qui a pris Port Royal en Acadie, était beaucoup mieux armé que nous. Il a fait le siège de Québec. Il a été chassé par les colons.

«Troisièmement, comme nous sommes à l'ancre dans cette rade depuis hier, autant dire que pour ce qui est de votre surprise, c'est plutôt raté.

«Quatrièmement, je ne crois pas à l'avancement non mérité. Et vos propos prouvent que, contrairement à ce que vous croyez, vous n'êtes pas mûr pour un poste de lieutenant, encore moins de commandant. Si vous rêvez de finir dans un bureau, personnellement, toute vie qui me priverait de la mer serait pour moi une absence de vie, permettez-moi le jeu de mots, un vie morte. Tout l'avancement que je souhaitais obtenir, je l'ai eu, Une autre promotion me priverait de la mer et je ne pourrais le supporter.

«Enfin, cinquièmement, j'ai été mandaté pour une raison précise qui exclut les tentatives de conquête. N'oubliez pas, monsieur Cairn, que nous avons une cargaison que nous devons protéger, au péril de nos vies s'il le faut.

— Monsieur, cette cargaison n'est-elle pas destinée au bois?

— Avez-vous, monsieur Bowsprit, une idée de la quantité de bois que représentent les valeurs de la cale? Cent fois, mille fois plus peut-être que l'Essex pourrait en transporter, même au prix du marché de Londres. Non, l'argent qui servira pour le bois est ici même, dans ce coffre sur lequel vous êtes assis.

— Alors, la cargaison de la cale?

— Je ne peux pas en parler pour le moment. Donc, la première chose à faire, c'est aller voir l'intendant, vous et moi. De votre côté, monsieur Cairn, je vous laisse en charge de l'Essex. J'espère

107

que vous ne prendrez pas d'initiatives que regretterions tous. Autrement, gare à vous. Des questions?

— Non monsieur.

— C'est bien. Et je vous le répète, vous devez protéger à tout prix, au péril de votre vie, la cargaison. D'ailleurs, votre vie ne vaudrait pas cher s'il arrivait quoi que ce soit à cette cargaison. J'espère que je me fais bien comprendre.

*

Après avoir endossé leur meilleur uniforme, Prowe et Bowsprit se firent reconduire à la côte. Après s'être informé auprès de quelques colons du lieu de la résidence de l'intendant, le second et le commandant se dirigèrent vers l'endroit. Chemin faisant, Prowe repris sa harangue auprès du second.

— Lorsque nous aurons fait comprendre nos intentions à ce monsieur, je compte sur vous, monsieur Bowsprit, pour mettre la main sur le mousse.

— James?

— A votre connaissance, nous en avons un autre?

— Evidemment non, mais il sera difficile à trouver. Quelqu'un d'autre ne ferait-il pas l'affaire, monsieur?

— Oui, vous. Ecoutez, je ne veux pas le priver de ses privilèges. C'est l'affaire d'une heure, deux tout au plus. Le premier travail du charpentier que vous allez embaucher, c'est de réparer les caisses ou en fabriquer d'autres pour que la cargaison retourne en caisses avant que le bois monte à bord. Je ne veux pas que les français voient ce que nous transportons.

«Pour les mêmes raisons, je ne veux pas que le charpentier le voie. Donc, j'ai besoin de quelqu'un en qui j'ai confiance pour vider les caisses ouvertes et les monter sur le pont. Le charpentier les verra et les réparera ou en fabriquera d'autres sur le pont. James les redescendra, les remplira et les couvrira. Alors seulement, le charpentier descendra, soit avec vous, soit avec moi, pour fixer les couvercles.

— N'y a-t-il pas d'autres hommes, monsieur, en qui vous avez cette confiance?

108

— Quand nous avons frôlé la mutinerie à cause de la cargaison, James est le seul parmi l'équipage à avoir gardé la tête froide. Même Cairn l'a perdue... à moins que vous n'ayez pas confiance?

— Au contraire, monsieur.

— En ce cas, vous le trouvez et vous lui demandez s'il veut faire ce travail. Mais un dernier point, il est préférable qu'il ne sache pas que la demande vient de moi.

— Serait-ce indiscret de vous demander pourquoi, monsieur?

— Si j'ai confiance en lui, cette confiance n'est pas réciproque. A tout le moins, plus maintenant. Et je crains ne plus l'avoir avant longtemps.

— Il vous obeira, il se plie aux ordres.

— Ce n'est pas un ordre. Et je ne veux pas qu'il le prenne comme tel, mais comme une faveur qu'il vous accorderait.

— Pourquoi vous en voudrait-il?

— Il m'a accusé d'avoir tué Gilbert. En fait, il m'accuse d'avoir tendu un piège qui a mené à sa perte. Et il a raison. D'ailleurs, si j'ai dormi cette nuit, c'est que j'étais ivre. En voyant le résultat, j'aurais été mieux rester éveillé. Depuis cette affaire, la mémoire de Gilbert me hante jour et nuit.

«Si ma propre conscience m'accuse, James a d'autant plus de raison de le faire. J'espère qu'il finira par me pardonner. J'ai été fautif, mais d'une façon ou d'une autre, nous ne pouvons pas défaire ce qui est fait. Et croyez que je le voudrais. J'ai déjà fait plusieurs bêtises dont certaines étaient de taille. Pourtant, à la fin de ma vie, celle-ci a été la pire. A l'âge de James, une faute demeure pardonnable, mais à mon âge, quand on commande un vaisseau du roi, une faute comme ça nous poursuit longtemps.

— Ne croyez-vous pas, monsieur, que vous êtes trop sévère?

— Non, lieutenant, dans ces conditions, me montrer moins sévère serait hypocrite. Je suis un assassin, soit, mais pas hypocrite même si ce piège était une hypocrisie. J'espère qu'il me pardonnera. Je ne parle pas d'oublier, ça ne s'oublie pas. Mais au moins me pardonner.

*

Lorsqu'ils sortirent de chez l'intendant en mileu d'après-midi, le lieutenant fulminait contre la lenteur administrative qui avait retardé son horaire. William Prowe lui fit rapidement découvrir le bon côté des choses, en retournant à la côte.

— Si vous vous étiez renseigné, ce que vous devriez toujours faire, lieutenant, vous auriez su et planifié en conséquence.

— J'exècre, monsieur, cette manie qu'ont les français de re-créer un peu partout, des avant-postes de la cour de France. Ces manières me font bouillir le sang.

— Si vous vous étiez informé, vous auriez paré ces inconvé-nients.

— Vous-même ne saviez pas à quoi vous attendre, monsieur.

— J'ai le regret de vous contredire, lieutenant. Avant notre départ, de Bristol, je savais ce dont j'avais besoin.

— Vraiment? N'avez-vous pas dit ce matin ne pas savoir si l'intendant Hocquart parlait anglais? Il m'apparaît primordial de savoir si on comprendra celui qu'on doit rencontrer.

— D'accord, mais vous oubliez que je savais quand le roi m'a commissionné pour ce voyage, que vous en faisiez partie. Que 'm'importait de savoir si l'intendant parlait anglais puisque je savais que vous parliez français.

— Alors, selon vous, si sa langue n'avait pas de valeur...

— Je n'ai pas dit, lieutenant, que sa langue n'avait pas de valeur, ne me faites pas dire ce que je n'ai pas dit. J'ai dit qu'il n'était pas important de savoir s'il parlait ma langue, je savais que vous parliez la sienne. Pour ce que je connaissais sur lui, disons que je savais à peu près tout.

— Facile à dire, maintenant que nous l'avons rencontré.

— Votre mauvaise foi est aberrante, lieutenant. Si nous étions parmi l'équipage, je serais forcé de sévir. Prenez des notes, informez-vous, vous verrez. Contrôleur du port de Rochefort, il a été nommé en poste à Québec en '29 pour remplacer un certain Dupuy, un mauvais administrateur qui a laissé les finances de la Nouvelle-France dans un état pitoyable. On prétend que les sien-nes étaient encore pires. Un inventeur... ce qui explique bien des choses. Ce dénommé Dupuy s'est mêlé de ce qui ne le regardait pas. Il avait été nommé exécuteur testamentaire d'un évêque influent d'ici, un certain Vallier, je crois.

— Vous voulez dire Monseigneur de Saint-Vallier?

— Oui, c'est cela. Alors, Dupuy a voulu intervenir dans les obsèques de ce prêtre et dans le choix de son remplaçant. Le gouverneur, monsieur de Beauharnois a mal pris la chose et a porté plainte auprès du roi de qui relève exclusivement l'intendant. Le mandant de Dupuy a été écourté. Nommé en '26, il a été rappelé en France en '28. Il faut cependant dire que messieurs de Beauharnois et Dupuy ne s'aimaient guère dès le départ.

«Monsieur Hocquart a été désigné pour remplacer Dupuy. Arrivé ici en '29, il a été confirmé dans ses fonctions en '31. Monsieur Hocquart est un administrateur avisé. Il a développé la culture. Tenez, mis à part le vin, tout ce que nous avons mangé est produit ici. Il en a fait autant pour la charpenterie navale.

«Il a tenté un peuplement dans la région du Lac Champlain avec quelques centaines de repris de justice, mais ce fut un échec. Depuis qu'il est en poste, la construction navale a pris beaucoup d'expansion. Il a donc ouvert des scieries et de goudronneries. Il a organisé la culture du lin pour alimenter les ateliers de confection de voilures. Et, il y a trois ans, il a implanté des forges sur le Saint-Maurice.

«Croyez-moi, lieutenant, avec toutes ses manières qui vous choquent, c'est cet homme qui donnera à cette colonie son autonomie face à la France, si jamais elle devient autonome. C'est un financier de premier plan. Je n'ai pas d'espion, je veux savoir à qui j'ai affaire.

— Et pourquoi étiez-vous inquiet, ce matin, quand vous avez appris que les hommes étaient débarqués?

— Vous oubliez que nous sommes en territoire français, que nous sommes Anglais et que l'Angleterre s'oppose à la France, dans cette guerre pour le trône d'Autriche.

— C'est difficile de l'oublier, monsieur. Mais puisque vous saviez déjà à qui vous feriez face...

— Les affaires militaires ne relèvent pas de l'intendant mais du gouverneur. Nous sommes ici pour des raisons commerciales, donc administratives, ce qui relève de l'intendant. Mais supposez qu'en voyant que nous ne nous annonçons pas, l'intendant juge que la sécurité de la place est mise en cause, cela relève alors du domaine militaire. Il doit en référer au gouverneur.

«Comprenez-moi bien, nous nous en sommes sortis sans grave conséquence, mais votre geste aurait pu représenter notre arrêt de mort à tous, sans parler de la saisie de notre cargaison. Maintenant que nous arrivons, je vous laisse à vos affaires. Trouvez James et demandez-lui s'il veut nous rendre ce service. Que ce soit clair, ce n'est pas un ordre. Puis trouvez-nous un charpentier.

«Après, vous devrez vous charger de négocier la cargaison de bois. Vous pourrez vous faire aider par le charpentier pour la qualité; je compte sur vous pour négocier au meilleur marché possible.

– Bien monsieur.

*

De retour à bord, William Prowe s'enferma au carré, ouvrit le Journal de bord et y nota, fidèle à ses habitudes, succintement, le détail de sa rencontre avec Hocquart.

«Le 11 octobre 1741,
Ai laissé la garde de l'Essex au lieutenant Cairn, puis, avec second Bowsprit, allé rencontrer l'intendant de Nouvelle-France. Nous a reçu de façon civile après que l'ayons assuré de nos intentions pacifiques. Sur invitation, second et moi avons partagé le couvert avec l'intendant, un brave homme.
Avisé second que, selon directives de S.M., il se chargera de négociations et achat de cargaison. Tenu secrètes informations que l'ordre émane de S.M.
Donné mandat au lieutenant d'embaucher charpentier pour remplacer Owen.
Pas avisé équipage que mon choix est arrêté pour remplacer Gilbert. Elgin. Devrait peut-être en discuter avec second Bowsprit et asp Cairn avant?

W.P.
Comm. Essex.
V.S.M.G. II»

Il ne fit pas mention du fait que le lieutenant avait laissé débarquer les hommes avant de rencontrer l'intendant. Comme il le faisait depuis des années, il tairait cette information comme toutes celles qui pouvaient supporter le secret. Il évitait ainsi que les dossiers de ses hommes soient entachés à jamais parce qu'ils avaient fait preuve d'étourderie.

A l'opposé, ce qui pouvait servir leur avancement, il le commentait dans les moindres détails. C'était, pour lui, sa façon de prouver sa gratitude, même si, à moins d'une mutinerie, personne à bord ne lirait jamais le contenu du Journal de bord.

Après avoir refermé le livre et rangé la plume d'oie, William Prowe retourna sur le pont à la recherche d'Isaac Cairn. Ne le trouvant nulle part, il interpella un homme:

— Coody, avez-vous vu l'aspirant Cairn?

— Non, monsieur.

— Quoi, pas de la journée?

— Je l'ai vu ce matin, un peu apès votre départ avec le second, mais pas depuis. Il était aux bouteilles, monsieur.

— Malade? Voulez-vous dire qu'il était ivre?

— D'après son allure, il n'était pas malade, ni ivre, monsieur. Il avait simplement l'air de bonne humeur.

— Bon, laissez faire et retournez à votre travail.

— Bien, monsieur.

Le remord tenta de l'assaillir à nouveau, mais Prowe le repoussa. Il avait d'autres chats à fouetter que de se défendre contre des fantômes, quels qu'ils soient. Il rencontra d'autre membres du corps de garde, mais supposant qu'ils ne pourraient rien lui apprendre d'autre que Coody, il n'en interpella aucun. Il continua ses recherches partout sur le faux-pont, allant même voir du côté des hamacs, mais ne trouva pas trace de l'aspirant.

Il retourna au pont espérant que l'officier y serait de retour, mais ne le vit pas. «Où ce diable de Cairn peut-il bien être», s'interrogea Prowe. Il ne pouvait être passé par-dessus bord, le fleuve était aussi plat qu'une nappe d'huile.

Il décida, contrairement à son habitude, d'aller voir à la chambre de Cairn. Il haïssait entrer chez ses officiers sans y avoir été invité.

Depuis son premier commandement, jamais il n'était entré dans la chambre d'un officier sans y avoir été invité, mais ce mutisme de l'aspirant Cairn l'inquiétait. Arrivé devant sa porte, il commença par frapper. N'ayant pas obtenu de réponse, il appela.

– Monsieur Cairn?... Monsieur Cairn, si vous êtes ici, je vous somme d'ouvrir.

N'obtenant pas de réponse, il ouvrit. Constatant que la pièce était déserte, fulminant, il ressortit en claquant la porte, ce qu'il n'avait jamais fait, ni supporté de personne.

Cette disparition était d'autant plus surprenante que Prowe lui avait remis la garde du vaisseau. Avec cette charge, Cairn était tenu à une entière disponibilité, tant que le commandant ne l'aurait pas avisé qu'il reprenait la barre.

Prowe retourna au carré, contrôlant mal la colère qui grondait en lui. Ce cochon de Cairn ne pouvait être mort; c'était connu de toute personne habitant près de la mer, nul ne peut mourir avant que la marée soit au jusant. Il ressortit le Journal de bord et y ajouta une annotation au même jour, le 11 octobre.

«De retour à bord, aspirant Cairn disparu. Ai cherché partout à bord, ne l'ai pas trouvé.»

William Prowe referma le Journal, le prit et retourna à sa chambre en réfléchissant à ce qu'il savait ou croyait savoir sur Cairn. Personne ne pouvait douter de sa sobriété. Il ne fumait pas même une pipe à l'occasion. Il lui arrivait de parler sans réfléchir, quitte à proférer des sornettes. N'avait-il pas, ce matin même, proposer d'attaquer Québec?

Il n'était pas débarqué, il avait la charge du vaisseau. Père de deux filles, marié, on ne l'avait jamais vu courir les jupons. Ambitieux pour ne pas dire arriviste, il était trop impulsif pour monter rapidement les échelons de la Marine. Sans être intelligent, il savait faire preuve d'esprit.

Question bonté, c'était difficile à évaluer. Etant son supérieur, William Prowe savait que Cairn se pliait aux ordres, mais ce n'était pas de la bonté, c'était par loyauté. Après un temps, il ajusta sa pensée. «Non, plutôt de la docilité.» Quant aux hommes, c'était difficile de se plaindre d'un manque de bonté de l'aspirant, précisément parce qu'il était officier.

Il était propre. Trop impulsif, trop prompt à agir pour être vraiment lucide. Il n'était donc pas réfléchi. Sensible, mais pas charitable pour autant. Non pas qu'il était égoïste, mais on avait nettement l'impression que rien n'était gratuit chez lui. Il était trop calculateur.

Cairn était poli, il savait être reconnaissant, mais ce n'était pas une reconnaissance naturelle. On aurait dit qu'elle était momentanée, comme si les bontés dont faisait preuve son entourage allaient de soi, comme si elles avaient été, non seulement justifiées, mais une redevance normale.

C'était un homme perspicace en ce qui avait trait à ses propres intérêts. Il devenait alors, froid, calculateur, distant. Si elle ne le concernait pas, lui, en exclusivité, cette perspicacité laissait le pas à son impulsivité.

Il était si opportuniste que la chose relevait de la candeur. Parfois dédaigneux, cette manie atteignait à l'occasion un paroxisme d'arrogance. Il sautait sur la première occasion pour rire de l'équipage, poussant jusqu'à l'ingratitude. Il avait été insolent envers John Bowsprit, parlant de «ses compatriotes français».

Le second avait été élevé chez les français, mais c'était un tout autre homme que Cairn. Contrairement à lui, Prowe voyait facilement John Bowsprit, commandant d'un vaisseau. Il aurait l'appui de ses hommes. Il était même trop bon.

S'il ne se corrigeait pas, ça pouvait lui coûter cher. Il fut facile d'imputer la faute aux hommes qui avaient insisté, mais elle revenait au lieutenant qui avait donné l'autorisation de descendre. Puis le commandant se ravisa. Non, la faute était imputable à un seul homme, lui. S'il était allé hier présenter ses respects à l'intendant, Cairn ne serait pas disparu. William Prowe était convaincu d'être, quoique indirectement, coupable de cette subite disparition.

Partagé entre rage et inquiétude, le commandant s'assit à sa table et songea à ce voyage avec ses plaisirs et ses amères déceptions. Et il n'était pas terminé. Comment annoncer, en arrivant à l'Isle Anticoste, que l'Angleterre n'était pas la prochaine destination?

Il espérait qu'ils auraient compris avant en voyant que la cargaison ne servant pas à l'achat de bois servirait à autre chose. Comment expliquer que ce n'était qu'un prétexte pour éviter d'en trop dévoiler, pour mieux passer inaperçus auprès des vaisseaux qui mouillaient dans la rade de Bristol.

Pendant des années, William Prowe avait espéré que le roi lui témoigne de sa confiance et, au moment où il ne l'attendait plus, le roi lui avait annoncé qu'il lui accordait un nouveau vaisseau et le lançait dans une opération-suicide.

Il lui demandait de transporter seul, avec une frégate armée de ving-quatre canons, ce qui ne sortait d'Angleterre que sous l'escorte d'une flote. Le roi avait beau dire qu'il ne voulait pas attirer les corsaires, il ignorait de quoi les marins étaient capables en apprenant qu'ils étaient sur un vaisseau d'or, avec, pour les empêcher de s'en emparer, trois vies d'officiers.

Au terme de longues heures sans repos, William Prowe glissa dans un sommeil tourmenté. Il se revit, riant et buvant à la table de l'intendant. Pendant ce temps, Cairn l'appelait à l'aide, en train de pourfendre des mutins venus se rendre maîtres de la cargaison. Après une lutte acharnée, un homme, il n'arrivait pas à voir son visage, prenait Cairn par derrière, lui renversant la tête et lui ouvrait la gorge jusqu'à la colonne vertébrale.

Il les voyait lancer l'aspirant par-dessus bord sans obsèques; il les voyait remonter de l'eau pour éliminer le sang et les traces de lutte. Il les voyait changer de vêtements après que la carotide ouverte de Cairn les eût aspergés. Il les voyait rouler leurs vêtements maculés de sang dans des pierres de lestage et les balancer eux aussi par-dessus bord.

Un homme épiait la côte pour voir si lui et Bowsprit étaient de retour, prêts à remonter à bord. Ce qui l'étonnait, c'était que tous ces hommes qui s'étaient ligués pour perdre Cairn pouvaient camoufler leurs visages. Il n'arrivait à en reconaître aucun.

Pendant ce temps, Bowsprit se contorsionnait en courbettes, réitérant pour la centième fois ses excuses à l'intendant pour avoir laissé descendre l'équipage avant de venir présenter ses hommages. L'intendant gloussait en voyant Bowsprit ramper sous le tapis, prêt à lui lécher les souliers. Hocquart jouait avec les boucles de sa perruque, mais était-ce une perruque ou ses véritables cheveux? Prowe n'aurait su le dire. Pendant ce temps, l'autre fourrageait la gorge de Cairn avec son couteau.

Dans un ultime effort, William Prowe tenta de défendre l'aspirant, le protéger contre l'attaque sauvage, suppliant les hommes de s'en prendre à lui plutôt qu'à un subalterne. Il n'obtint qu'une rebuffade dans laquelle sa chaise bascula pour le sortir de son sommeil.

Prowe se releva en sueur et, à tâtons, récupéra son briquet pour allumer la chandelle sur sa table. Il pesta contre ce morceau d'acier servant à tirer des étincelles d'un caillou. De jour, l'engin fonctionnait au premier coup. De nuit, on s'arrachait les doigts avant de réussir à allumer une chandelle.

Décidément, il avait dormi longtemps, l'autre chandelle qui brûlait presqu'en permanence sur son coffre de marin était entièrement consumée. Seul un bout de mèche brûlée trônait au cœur du bougeoir avec quelques gouttes de cire durcie. Le commandant sortit de sa chambre et rencontra un homme du corps de garde.

— Avez-vous une idée de l'heure?

— Un peu avant l'aube, monsieur.

Surpris, le commandant ne croyait pas avoir dormi aussi longtemps. Intrigué, il ajouta encore à l'intention du gardien:

— Vous êtes sûr?

— Oui, monsieur. Regardez, le ciel pâlit. Avant de l'oublier, le second est rentré hier soir. Il a frappé à votre porte et vous dormiez, il a dit qu'il vous verrait demain.

— Et monsieur Cairn?

— Je ne l'ai pas vu, monsieur.

— Bon. Si vous le voyez, je veux le voir sur-le-champ. Si je dors, qu'il me réveille.

— Bien, monsieur.

William Prowe rentra à sa chambre et retourna à sa table. Après avoir allumé sa pipe de plâtre dont le foyer accusait un usage prolongé, il sortit le Journal de bord et le feuilleta, éclairé par la chandelle.

Il revit son périple, le mousse qui avait progressivement accepté la nécessaire discipline, les morts, revit les différences climatiques, la semaine complète où un grand frais avait soufflé, grossissant la mer. Il se revoyait, pendant une semaine, ordonnant tous les soirs, de border l'artimon pour récompenser l'effort des hommes.

Il revoyait ce vent changeant, caressant toutes les pointes de la rose des vents, une semaine complète où il avait dû voguer voiles réduites, tantôt virer de bord vent devant, parfois vent arrière. Il entendait le second parler d'un navigateur mythique, il voyait les dieux antiques, Okéanos, Triton, Poséidon, le navigateur aux prises avec les sirènes, pendant que l'Essex voguait dans la tourmente.

Il les revoyait les uns après les autres, Avery, Johnson, Owen, Lewis, Grant, Wilson, Doyle, Gregory, O'Neil, Peterson, Campbell, Logan et finalement Gilbert, morts. Noyés, en tombant des étais, des haubans, des vergues, dans une querelle, disparus à jamais de la face de la terre, de la surface de la mer.

Il revit Scott rosser James au quatrième jour de grand frais, pour avoir sifflé. L'équipage savait que siffler à bord attire la tempête et on craignait que le grand frais se transformer en ouragan. Plusieurs lui avaient imputé la durée de ce vent.

Combien de matelots s'étaient passé la tête dans le bastinage pendant ce grand frais, n'ayant plus rien à vomir que leur âme et prêts à la donner pour que la mer se calme. Même Elgin avec sa manie de prendre sa cuillère d'eau de mer toutes les nuits l'avait bue, pendant cette semaine, à pleine écuelle. Et Cairn avait juré ses grands dieux qu'en arrivant à Bristol, il quitterait la marine. Il était revenu sus ses positions dès que le temps s'était mis à beausir. Pauvre Cairn...

Refermant le Journal de bord et le replaçant dans son tiroir, le commandant réalisa que le jour était déjà levé. Il éteignit la chandelle et sortit pour se rendre à la bouteille où il se retrouva, dans le réduit, face à un matelot.

— Que faites-vous ici?
— J'avais envie, monsieur.
— Vous ne savez pas que cet endroit est réservé aux officiers?

– Oui, monsieur, mais je n'avais pas le temps.

– Ce n'est pas une raison. Aujourd'hui vous utilisez les bouteilles, demain vous vous installerez dans la chambre de monsieur Cairn ou du second ou dans la mienne? Quand m'avez-vous vu utiliser les quartiers des hommes? Si vous aviez envie, fallait utiliser les endroits réservés à l'équipage. Que je ne vous y reprenne pas ou il vous en cuira, prenez-en ma parole. Maintenant, je ne vous retiens plus.

– Bien, monsieur.

*

Le second fut réveillé par les rugissements du commandant. Il se leva, s'aspergea le visage d'eau froide avant de se frictionner les joues pour y activer la circulation sanguine et se rasa avec dextérité, contournant la moustache et le minuscule pinceau naissant sous la lèvre inférieure pour s'arrêter à la proéminence du menton.

Après avoir endossé une blouse, une culotte propre et sa veste, il noua les cordons de sa blouse puis, se regardant dans un miroir, il glissa l'index sous sa moustache pour lui redonner sa courbe souple. Enfin, du pouce et de l'index, il lissa le pinceau sous sa lèvre. Il pouvait maintenant faire rapport. Il fixa son ceinturon avant de sortir.

En sortant de sa chambre, il se laissa guider sur le pont par le soleil qui commençait à dispenser sa chaleur, humant avec délice les parfums que le fleuve exhalait, heureux d'avoir embrassé une carrière où les seules contraintes étaient liées à la nature et la promiscuité. Il aimait cette vie de grand large où il devait se résigner, face aux éléments, à retrouver sa minuscule taille d'homme. Il aimait ce contact avec l'équipage.

Il adorait trousser les jupons, mais ne dédaignait pas pour autant discuter avec les hommes, les écouter, les enseigner comme il le faisait avec le mousse. Il aimait aussi son commandant, homme entraîné depuis l'enfance, féru de ce qui avait trait à la marine, profondément épris de la mer, homme foncièrement bon se cachant sous un masque d'austérité.

Apprendre la mer avec William Prowe était autre chose qu'avec les deux autres commandants, paix à leur âme, sous lesquels il avait servi comme second. Le pacha avait, contrairement, aux autres, la passion de la mer. D'ailleurs, pour lui, c'était une passion dévorante, un culte. Oui, le pacha avait le culte de la mer.

Et John Bowsprit réalisa qu'il scrutait l'horizon alors qu'il était sorti pour faire rapport. Il ajusta sa tunique, lissa à nouveau sa moustache puis vérifia que la guipure fleurait uniformément des manches de sa tunique. Il partit vers la chambre du commandant. Au moment où il vint pour frapper, il entendit son supérieur par-delà la porte.

— Entrez, lieutenant.

John Bowsprit ouvrit pour se retrouver devant son supérieur qui, ciseaux à la main, taillait sa barbe.

— Vous êtes en avance sur moi, lieutenant, je commence à peine ma toilette.

— Préférez-vous que je revienne, monsieur?

— Non, ça va. A moins que vos scrupules vous interdisent de voir votre supérieur portant seulement une culotte.

— Si vous n'y voyez pas d'inconvénient, monsieur, je viens faire rapport.

Il ne pouvait détacher les yeux du dos de son supérieur, dont la peau indiquait le métier appris petit à petit, où les labours de poignard étaient enchevêtrés avec ceux, plus nombreux, plus larges, du fouet.

— Si je me basais sur votre dos sans vous connaître, monsieur, je jurerais que j'ai affaire à un membre de l'équipage. Je ne pensais pas que sous cet uniforme se cachaient tant de cicatrices.

— Vous devriez savoir, lieutenant, répliqua le commandant en peignant sa barbe dure, que sous cet uniforme de commandant se cachent, pour utiliser votre expression, plus de trente ans de vie en mer. Je ne vise personne, ne le prenez donc mal. J'ai acquis mon grade avec ma sueur et mon sang.

«J'avais onze ans quand je me suis embarqué. Ma mère était morte et mon père préférait écumer les mers plutôt que de s'occuper des rejetons qu'il avait semés derrière lui. J'ai commencé ma carrière à supplier les capitaines de me prendre, ajouta-t-il en endossant sa chemise avant d'aller s'asseoir et d'inviter le lieutenant à en faire autant.

«Quand le capitaine Thompson m'a accepté à son bord, son vaisseau partait dix jours plus tard. J'ai été une semaine malade à l'idée qu'il pourrait me laisser sur les quais. J'avais si peur d'être abandonné que, trois jours avant que l'ancre soit levée, j'ai pris ma poche, je suis monté à bord et me suis caché. Trois jours sans manger ni boire de peur d'être abandonné.

«Avec plus de trente ans à voguer derrière moi, croyez-vous que j'ai toujours eu la vie rose? Que croyez-vous qu'il s'est passé quand le vaisseau sur lequel j'étais a été abordé par mon père? Quand, devant le commandant, j'ai demandé "pourquoi, papa, es-tu pirate et que tu t'attaques aux Anglais?" Mon père est retourné sur son vaisseau avec ses hommes et nous a laissé filer. Croyez-vous que le commandant m'a remercié? J'ai été attaché au grand mât et fouetté. Je n'ai jamais su pourquoi.

«Parce que j'avais sauvé seulement la moitié de l'équipage? Parce que c'était mon père qui nous avait abordés? Le commandant a ordonné que je sois fouetté jusqu'à ce qu'il juge que j'en avais assez. Plus tard, le maître d'équipage m'a raconté que le commandant s'est souvenu de moi trois heures plus tard. Il n'a laissé voir aucun remord. Le maître d'équipage a été une semaine avant de se servir à nouveau de son bras.

«Ce n'est pas la seule fois que j'ai eu le fouet, croyez-moi. Ce que je sais, je l'ai appris avec ma sueur et mon sang. Je ne vois donc pas de raison d'avoir honte de ce que je sais, même si je n'ai rien appris. Je ne m'enorgueillis pas, il y a si peu de choses que je sais en comparaison de ce que je voudrais savoir. Mais je ne rougis pas non plus, pas plus que je n'ai honte de ces quelques cicatrices qui vous surprennent. Ça vous déçoit? Ou plutôt, je devrais demander si je vous déçois?»

— Non, monsieur, même au contraire, ça me permet de mieux comprendre. Si je ne craignais pas que vous preniez mes propos pour de la basse flatterie, je dirais que vous n'en avez que plus de valeur à mes yeux.

— Ça nous mène loin de votre rapport, coupa William Prowe constatant qu'il était allé trop loin dans les confidences.

Ce diable d'homme, songea le commandant, vous fait dire ce qu'il veut, obtient ce qu'il veut sans vous donner l'impression de vous forcer aux confidences. En ce moment, le second jonglait à Dieu seul savait quoi, tandis que William Prowe attendait.

— Voici, monsieur. J'ai eu la chance de rencontrer James au marché. Il était avec sa... conquête. Un joli brin de fille... Je voudrais bien être à sa place.

— Ce n'est pas ce que je veux savoir, lieutenant. Avec votre réputation, je me doute que vous voudriez être à sa place.

— Quoi, ma réputation?

— Ce n'est pas le moment. Lui avez-vous parlé?

— Oui, monsieur, elle est très gentille.

— Bougre d'âne! Je parle de James. Lui avez-vous parlé, oui ou non?

— Oui, monsieur. Il est d'accord pour venir ce matin. J'ai aussi trouvé un charpentier prêt à s'embarquer. J'ai vu son travail et je l'ai vu à l'œuvre; il fera l'affaire. Et il parle anglais, couramment. Il sera ici en fin d'avant-midi. Finalement, je crains qu'il faille aller à la Citadelle. D'après ce que les gens disent, deux de nos hommes ont été pris dans une rixe.

— C'est de moi que ça devrait relever, mais je ne parle pas français. Comme un de nous doit demeurer ici pour assurer la garde, je préférerais que vous y alliez.

— Je peux y aller, monsieur, mais vous pourriez laisser le vaisseau à monsieur Cairn et venir avec moi.

— Il est disparu depuis hier. Je vous jure qu'il va répondre à mes questions s'il reparaît.

«Croyez-moi, je préférerais m'occuper moi-même de cette rixe. Cairn ayant disparu, nous n'avons pas le choix. Occupez-vous de la Citadelle et prenez le reste de votre journée. Mais n'oubliez pas le bois que vous devez négocier dès que possible.»

— Bien monsieur.

Le lieutenant s'apprêtait à sortir lorsque des coups furent frappés à la porte.

— Entre, James, annonça le commandant, pendant que le lieutenant le regardait, ahuri.

La porte s'ouvrit effectivement sur le mousse. Avant que ce

dernier ait placé un mot, le lieutenant ne put réprimer une autre intervention.

— Permettez-moi, monsieur, c'est la deuxième fois ce matin que je remarque que vous savez, avant d'avoir entendu un mot, qui est derrière la porte. Seriez-vous par hasard...

— Sorcier? Pas du tout, lieutenant. Il n'y a pas deux hommes sur ce vaisseau qui ont la même démarche... Assieds-toi, James, ce ne sera pas long, ajouta-t-il avant de reprendre. Tout au plus, avez-vous besoin de savoir vous servir de ces morceaux de chair qui dépassent de chaque côté de votre tête.

— Merci monsieur. Je vous laisse et je me rends à la Citadelle avant d'aller voir pour le bois.

Le second quitta la pièce, laissant le mousse face au commandant. Ce dernier était mal à l'aise. Il eut préféré que le mousse fasse le travail et retourne profiter de sa permission, sans arrêter à sa chambre. Il avait été assez serviable pour revenir à bord, se privant de quelques heures de loisirs, William Prowe devait prendre le temps de le recevoir.

— J'apprécie, James, que tu nous rendes ce service. Tu crois peut-être que je suis un ingrat. Maintenant, nous sommes dûs, toi et moi, pour une discussion. Tôt ou tard, il faudra y arriver; j'aimerais que ce soit maintenant.

— Ne me dites pas que vous voulez me laisser ici. J'aime cet endroit et ses filles, mais la mer m'appelle.

— Non, James. Quoique avec nos pertes humaines, j'ai plus besoin de matelots que de mousse. J'ai pensé t'accorder ta première promotion et te nommer matelot, mais ça doit se faire dans les règles; on en reparlera lors de l'embarquement.

«Pour ne pas te faire perdre de temps, que dirais-tu de descendre ensemble à la cale et que, pendant que tu fais ton travail, nous bavardions? D'autant plus que, d'après ce qu'a dit le lieutenant, j'imagine que tu as hâte de retrouver ta française.»

— Ça me paraît une bonne idée, monsieur.

Les deux hommes quittèrent la chambre, le commandant sur les traces du mousse. Avant de descendre à la cale, Prowe alla à la rencontre du quartier-maître assurant le commandement du corps de garde. Il ne s'arrêta pas, se contentant de l'interpeller en continuant son trajet.

— Si vous avez besoin de moi ou si on me cherche, je suis à la cale avec le mousse.

— Bien, monsieur.

James pressa le pas. William Prowe ne savait à quoi attribuer sa hâte. Etait-ce le goût de cette discussion attendue? Il ne saurait jamais. Il prit une torche en passant par la batterie et suivit le mousse.

Comme un fonctionnaire voyant surgir le patron, le chat noir détala sur un rat qu'il cloua au sol de sa patte puissamment armée. Prowe entendit les couinements plaintifs du rat appelant à l'aide, mais se désintéressa de son sort. Sitôt arrivés aux caisses, le mousse se mit à la tâche, bientôt aidé de Prowe qui avait planté la torche dans le trou d'une épontille.

— Je sais que tu préfères ne pas en parler, mais tôt ou tard, nous devrons y venir. Moi non plus je n'en ai pas envie... Mais plus ça attendra, plus la situation se détériorera entre nous. Je préfère donc m'expliquer tout de suite. Je ne te demande pas de revenir sur ta position mais de m'écouter. Qu'on le veuille ou non, Gilbert est mort. On ne peut pas le ressusciter. J'aimerais pouvoir mais c'est impossible...

«Quand j'étais mousse, le commandant du vaisseau où j'étais prenait plaisir à fouetter les hommes. S'il n'avait aucune raison, il en trouvait. Quand j'ai quitté le premier vaisseau, j'étais trop jeune pour être promu matelot.

«J'ai été sur trois vaisseaux comme mousse avant de devenir matelot. Celui dont je te parle réveillait parfois des hommes en pleine nuit pour les fouetter. Je n'ai compris le fond de l'affaire que le jour où il m'a ordonné de laver sa culotte. Il avait des poches, mais celle de gauche n'avait pas de fond...

«Je n'ai fait qu'une année avec lui même s'il m'a supplié de rester à bord du Crown of England. Dès que je le voyais, j'avais envie de l'étrangler. C'était incontrôlable. C'est pourquoi j'ai quitté son vaisseau. Quand, l'autre jour, j'ai vu la collection de Gilbert, c'est à Crowford que j'ai songé.

«Peut-être me suis-je senti à ce moment-là, plus près des hommes que jamais auparavant. Quand on m'a proposé de lui donner la sentence qu'il souhaitait pour les hommes en cause, j'ai sauté sur l'occasion, espérant éviter une pendaison.

«Je ne parlerai pas de la sentence qu'il proposait pour toi. De toute façon, je l'ai envoyé à la mort. Ou plutôt, c'est lui qui s'est condamné. Crois-moi, j'aurais préféré le fouet. Je me rends compte que j'été injuste, mais qui peut se vanter de ne pas l'être?»

– Moi, monsieur.

– Détrompe-toi, mon gars. Tu es encore plus injuste que moi. Tu as condamné Michael Bulwark au même titre qu'Elgin, O'Connor, Davidson et moi dans cette affaire. Quand je leur ai demandé quelle condamnation ils espéraient, Bulwark a demandé le respect de la Loi. C'est ça que j'appelle justice, faire respecter la loi. Si quelqu'un avait des raisons de lui en vouloir, c'est lui.

«Gilbert a choisi sa sentence. Lui seul. Crois-moi, quand je l'ai entendu, j'aurais voulu revenir en arrière, mais j'avais donné ma parole. Quant aux autres quartiers-maîtres, ils ont été, comme moi, pris au piège. Je connais suffisamment ces hommes pour savoir qu'ils n'ont rien de barbares.

«Ce qu'ils proposaient était généreux. Sans le lui dire, ils l'ont condamné à prononcer sa propre sentence. Ça aurait été en sa faveur s'il n'avait pas été assoiffé de vengeance. Suppose qu'il ait condamné chacun à vingt-cinq coups de fouet, selon notre entente, il avait une punition bien mince comparée à son crime.

«C'est tout ce que j'ai à dire», conclut William Prowe en entendant des pas se dirigeant vers l'échelle menant à la cale.

Le quartier-maître descendit sur la pointe des pieds, espérant surprendre les deux hommes. William Prowe s'était redressé. Le mousse finissait de vider la troisième caisse dont on ne récupérerait que les bouts de corde tenant lieu de poignées. Constatant qu'il n'avait pu les prendre par surprise, O'Connor termina sa descente sur un pas normal.

– Qu'y a-t-il O'Connor, s'enquit Prowe, vous nous épiez?

– Moi, monsieur? Jamais! C'est toujours comme ça que je descends, mentit le quartier-maître en tentant de détourner la question embarrassante.

– Si ce n'est pas ce que vous faisiez, que veniez-vous faire ici?

— Un homme sur le pont demande à vous voir, monsieur.

— Ce doit être le charpentier, supposa le commandant. Montez-moi ces caisses.

— Bien monsieur, maugréa le quartier-maître.

Pendant qu'il se chargeait des débris de caisse, le mousse pila les lingots pour réduire l'étendue de l'amoncellement, se retrouvant seul avec son conflit intérieur. William Prowe avait retourné la balle dans son camp.

Il se redressa, dépliant les genoux endoloris et se rendit aux quartiers d'équipage, à la recherche de Bulwark. Il monta au pont et vit le charpentier qui reformait une caisse en utilisant les planches intactes des trois boîtes. Le commandant étant absent, James supposa qu'il était au carré. Il s'y dirigea automatiquement. La porte étant demeurée ouverte confirmait la présence souhaitée.

— Monsieur, je cherche Michael... le quartier-maître Bulwark, avez-vous une idée de l'endroit où le trouver? hasarda le mousse en frappant au chambranle de la porte.

— Il est à terre. Quant à l'endroit précis, disons que j'ai une petite idée...

John Bowsprit entra avant qu'il ait fini sa phrase. Voyant le mousse, il freina son ardeur.

— Je m'excuse, monsieur, j'ignorais que vous étiez occupé.

— Ça ne fait rien, entrez, lieutenant.

— Je dois prendre votre relève, monsieur. J'arrive de la Citadelle et le capitaine de garde exige que vous alliez vous-même chercher les hommes. Il parle anglais.

— D'accord, j'y vais. Viens, James. On va faire un ou deux arrêts. Je suis certain de le trouver. J'espère seulement que ce n'est pas un de nos moineaux. Oh, lieutenant, assurez-vous qu'il y a de la paille dans la cale pour eux. Ils en auront besoin. Et que les fers soient prêts à les accueillir, ajouta-t-il en endossant une tunique propre.

Prenant son tricorne et son ceinturon au passage, William Prowe sortit, suivi du mousse.

*

126

Dans la baleinière, James Galloway regardait l'uniforme du commandant et se voyait, tempes grisonnantes, barbe carrée, longue moustache semée de fils d'argent comme celle du commandant, de profondes rides aux yeux, le front large, portant un uniforme identique à celui de William Prowe. Ce dernier mit un terme aux rêves du mousse au bout d'un moment.

— A quoi penses-tu, James?

— Je me disais que vous aviez un bel uniforme, monsieur.

— Je te le concède, obtempéra le commandant dont le sourire accentuait les rides. Ce n'est pas toujours amusant, le fardeau qui pèse sur le commandant d'un vaisseau est parfois pénible.

— Et vous croyez, monsieur, que Michael... Je veux dire le quartier-maître Bulwark est impliqué dans une rixe? reprit le mousse en débarquant.

— Nous allons rapidement le savoir. J'aurais envie de te laisser le chercher toi-même, tu lui dois bien ça, mais s'il est là où j'espère, tu ne pourras pas entrer, tu es trop jeune.

«S'il y est, tu pourras l'amener à bord pour qu'il cuve en paix sans faire de bêtises. S'il n'y est pas, c'est moi qui le ramènerai, parce qu'il est à la Citadelle. Tiens, attends-moi ici, je vais aller voir là-dedans.»

William Prowe entra pendant que le mousse faisait les cent pas devant l'édifice au-dessus de la porte duquel grinçait une enseigne qu'il ne put lire. Il reconnaissait la gravure du brick sur l'enseigne, mais l'écriteau rédigé en français lui était inintelligible. Quand il aurait l'expérience de Michael Bulwark, il n'aurait pas besoin de savoir lire l'enseigne pour reconnaître à coup sûr les bars, tavernes, maisons closes et tripots.

Les minutes passaient, marquées par des grains trop gros au goût du mousse, dans le sablier du temps. Il était impatient de voir sortir le commandant et, en même temps, il souhaitait ardement que ce dernier prenne le temps de regarder partout pour trouver le quartier-maître.

Le mousse réalisa que, bien qu'elle soit encore tenace ce matin lorsqu'il était sorti du lit de Rosemonde, sa rancune pour Michael Bulwark s'était entièrement dissoute. C'était, selon lui, la preuve

127

de l'innocence de son protecteur. Autrement, sa rancune serait demeurée tenace au fond de lui.

Il s'arrêta brusquement en entendant actionner la poignée de porte. Retenant son souffle, il regardait la porte, suppliant ce Dieu dont parlait l'équipage, de faire apparaître le commandant traînant son quartier-maître. Il vit pointer un pied par-delà l'ouverture et sut aussitôt que cette chaussure n'avait rien des souliers à boucles d'argent de William Prowe.

Voyant que l'homme tenait la porte, le mousse reprit sa supplique. S'il tenait la porte grande ouverte, c'était que deux hommes sortiraient à la fois. Ce ne pouvait être que le commandant et Michael Bulwark. Deux hommes finirent par sortir de la taverne que reconnut le mousse, mais s'ils appartenaient à l'équipage, ils n'étaient pas ceux qu'il escomptait apercevoir.

La porte demeurée ouverte, il vit enfin apparaître les hommes qu'il attendait; mieux, qu'il espérait.

— Tiens, James, lança le commandant en guise de salutations, la preuve que je connais mes hommes. Tu vas me ramener ces trois énergumènes à bord pour qu'ils dégrisent. Nous sommes arrivés à temps, j'ai cru comprendre qu'ils se préparaient à appeler les gardes. Faut que j'aille à la Citadelle. Alors, tu vas me coucher ces piliers de pub. Je vais te donner un coup de main.

— Ce n'est pas nécessaire, monsieur. Clark et Brown sont capables de marcher, je me charge de Michael.

— Parfait! Dis au lieutenant que je suis parti pour la Citadelle et, à moins d'imprévus, je devrais être à bord d'ici deux heures au maximum. Je ferai le plus vite possible.

— Bien monsieur.

*

James cherchait à faire ouvrir la bouche de Michael Bulwark à bord de la baleinière. Lorsqu'il réussit, il poussa son protecteur pour que sa tête dépasse le bordage de l'embarcation. Il plongea les doigts au fond de la gorge, provoquant des nausées.

— Dis donc, moucheron, fit remarquer un rameur pendant

que la baleinière se posait par travers de la frégate, tu as l'air de t'y connaître avec les robineux.

*

Lorsque William Prowe apparut aux portes de la Citadelle, il y avait déjà un temps que les gardes le regardaient évoluer. Pris sous escorte, il fut emmené au commandant de la garnison. Il constata qu'il était attendu.

— Soyez le bienvenu dans nos fortifications, commandant.

— Je vous remercie, monsieur. On m'a affirmé que deux de mes hommes étaient ici après avoir été pris dans une rixe.

— On vous bien informé, commandant.

— Et puis-je savoir, monsieur, dans quelle genre de rixe, si vous avez des détails?

— J'ai, commandant, tous les renseignements. Apparemment, vos hommes n'ont pas réalisé qu'ils étaient à terre. Vous et moi savons que les relations entre hommes sont courantes à bord. A bord, on peut comprendre. Mais à terre?

«...vos hommes ont fait des avances à deux de nos colons qui n'ont visiblement pas apprécié que leur... charmes, dirions-nous, soient l'objet de convoitise. Enfin, pas par d'autres hommes. Comme vos hommes ne parlaient pas la langue de nos colons, ils en ont trouvé une que les quatre comprenaient, celle des poings.»

— Puis-je ramener mes hommes à bord?... Après avoir payé l'amende, cela va de soi.

— Compte tenu de la guerre qui sévit entre nos pays, vous comprendrez que je ne peux pas accepter vos devises. Estimons-nous donc, commandant, en hommes du monde, quittes. Je ne mets qu'une condition à leur libération.

— Elle est accordée d'avance, monsieur.

— J'exige que vous les confiniez à bord, qu'ils ne remettent pas les pieds à Québec.

— Vous pouvez compter sur moi, monsieur.

— Gardes, allez me chercher les prisonniers anglais. Puis, se retournant vers William Prowe, le commandant de la garnison

129

ajouta: Je vous préviens, commandant, que les vêtements de vos hommes en ont pris un sérieux coup pendant cette rixe.

— Quand j'en aurait fini avec eux, ils ne vaudront guère mieux que leurs vêtements.

Lorsqu'il vit arriver les prisonniers sous garde armée, William Prowe chancela tant la surprise fut vive.

— Vous?

— J'ai votre parole, commandant? intervint son hôte.

— Plus que jamais, monsieur, plus que jamais!

*

Lorsqu'il retourna sur l'Essex en compagnie du matelot Morrisson et de l'aspirant Cairn, William Prowe manda le second au carré pour l'aviser de la situation prévalant désormais. Le lieutenant étant au faux-pont lorsque Prowe revint à bord, il n'avait vu ni le commandant, ni les prisonniers.

— J'ai de mauvaises nouvelles, lieutenant, assoyez-vous. Prendrez-vous un verre ou si vous préférez attendre après?

— Si c'est à ce point-là, monsieur, je préfère être lucide, quitte à prendre un verre après pour le faire passer.

— Croyez bien que je le regrette, lieutenant, mais je me vois dans l'obligation de vous retirer votre permission.

— De quoi je suis accusé, monsieur?

— Vous n'êtes accusé de rien, mais...

— Alors, coupa sèchement le lieutenant, si je ne suis pas accusé, monsieur, je ne vois pas pourquoi je devrais être puni. A moins, que vous ayez décidé...

— Je n'ai rien décidé, coupa à son tour William Prowe. Vous n'êtes coupable de rien d'autre que d'être second sur l'Essex. Voyant que le lieutenant se préparait à se lever, il lui mit la main sur l'épaule pour l'obliger à demeurer assis. «Laissez-moi continuer. Nous ne sommes plus que deux officiers à bord.»

— Cairn finira bien par réapparaître, monsieur.

— Oubliez Cairn. Dès que nous aurons fini cette discussion, vous devez descendre acheter le bois tel que prévu. Nous n'avons pas le choix, c'est l'une des deux missions qui nous incombent.

– Une des deux? Et quelle est l'autre, je vous prie?

– Permettez-moi de garder le secret là-dessus. Dès que nous aurons appareillé, je vous ferai connaître cette autre mission. Mes directives ne m'autorisent à vous mettre au courant qu'après notre appareillage.

– Et pour ce qui est des autres directives?

– Tous les hommes doivent être à bord demain soir... Non, donnons-leur une chance; je les veux à bord demain à l'aube pour le chargement de la cargaison.

– Et c'est ce que vous appelez une chance, monsieur?

– Oui lieutenant. De jour, ils ne feront que boire, donc oublier. Plutôt que d'appareiller demain soir, ce qui était mon intention, je vous propose de reporter le départ à la pleine mer après-demain matin. Quant à vous, je veux bien vous accorder les mêmes privilèges que les hommes.

– Un instant, monsieur. Si je comprends bien, ce n'est pas un privilège, c'est le vœu d'un condamné. J'étais supposé avoir une permission dès que la transaction serait complétée et ce, jusqu'à l'appareillage, dans quatre jours. Maintenant, vous rapprochez le départ de deux jours.

– Non, lieutenant. Ça n'a rien du vœu du condamné...

– Alors, monsieur, reprit John Bowsprit, vous savez des choses que j'ignore. En ma qualité de second, si vous avez la confiance que vous prétendez avoir en moi, j'exige de savoir.

– Rhum ou porto?

– Si je connais bien le porto, j'ignore le rhum. Et comme j'ai l'impression que je vais en apprendre, aussi bien le faire là-dessus; ce sera un rhum, monsieur.

Ouvrant l'armoire, le commandant poussa une pile de documents pour découvrir un gallon de rhum. Il prit deux verres d'une autre étagère et les remplit à moitié avant de retourner la cruche là où il l'avait prise. Il prit les verres, referma l'armoire du pied et tendit un verre au lieutenant avant d'aller s'asseoir de l'autre côté de la table de travail. Le lieutenant prenant une gorgée, s'étouffa instantanément.

– Mais je songe à votre idée de départ précipité, monsieur, si monsieur Cairn n'apparaît pas avant, dois-je comprendre que vous avez l'intention de partir sans lui? Ça me paraît inconvenant. A moins qu'il soit mort et que vous le sachiez?

– Non, répliqua le commandant avant de prendre une gorgée de son verre. Il n'est pas mort; disons plutôt en sursis.

– En sursis? Je ne comprends pas. Prendriez-vous par hasard, monsieur, plaisir à brouiller les cartes?

– Quand avez-vous vu Isaac Cairn pour la dernière fois?

– En même temps que vous, monsieur, avant-hier, quand vous lui avez remis la garde du vaisseau.

– Personnellement, je l'ai revu tout à l'heure. Il était l'un de deux prisonniers à la Citadelle.

– C'est un coup fourré des français, monsieur. Nous savons que monsieur Cairn ne se bat jamais. En fait, il ne ferait pas le poids, il réussirait à se faire pocher un œil par son reflet dans un miroir. Il ne peut être coupable.

– D'après ce que m'a dit le commandant de la garnison, Cairn et Morrisson ont fait des offres à des colons. Des offres de relation contre nature, si vous préférez les mots justes. Les colons n'ont pas apprécié, le tout a dégénéré en bataille. Cairn était de garde et devait protéger la cargaison. Il a abandonné son poste devant l'ennemi.

«En outre, abandonner son poste n'a pas une importance égale pour un matelot et pour le commandant. Je lui avais remis la garde de l'Essex, il en devenait donc le commandant. Je voudrais pouvoir dédramatiser la situation, mais si mes soupçons sont fondés, j'ai peur que les choses n'empirent. Il me faut pousser plus à fond mon enquête. Je préfère ne pas parler pour le moment. Je vous tiendrai au courant si vous y tenez.»

– Donc, je comprends pourquoi vous parlez de sursis.

– Cairn n'est qu'un scélérat qui est bien là où il est, si vous voulez savoir ce que je pense.

– Ne me dites pas, monsieur, que vous l'avez laissé aux français pour qu'ils l'exécutent eux-mêmes?

– Non! Pour éviter l'exécution, il était capable de nous vendre. Ne craignez rien, il est installé dans la paille que vous avez fait étendre dans la cale.

– Aux fers? Tout de même, il est aspirant.

— Vous n'espériez pas que je lui donne une promotion, tout de même? Il était aspirant. Il était! Nous avons assez de problèmes sans nous combattre l'un l'autre. Puis-je compter sur vous, lieutenant?

— Bien entendu, monsieur. J'avoue que je suis loin de trouver la situation confortable.

— Je n'ai pas envie de plaisanter non plus. Mais ça fait partir du métier.

— A voir comment les choses se déroulent, monsieur, je ne suis plus certain d'être intéressé par cette promotion qui m'attend à Bristol. J'imagine que vous savez que je serai promu.

— Oui et je suis heureux pour vous.

— Pour le moment, ce que je vois n'a rien de reluisant.

— Je sais, lieutenant. Changement de sujet, j'ai rencontré le mousse. Je lui ai annoncé que quand nous aurions appareillé, il sera promu matelot… Enfin, les négociations pour le bois attendent. Si vous voulez aller vous frotter aux filles, chaque minute compte.

— Bien, acquiesça le lieutenant en se levant. Un dernier mot, monsieur. Pourquoi tenez-vous à ce que nos hommes chargent la cargaison plutôt que ceux qui nous la vendront?

— Deux raisons, lieutenant. D'abord pour qu'il y ait le moins possible d'yeux pour voir ce qu'il y a dans la cale et parce que ce sera plus rapide avec nos hommes qu'avec les français… Oh, un dernier point, j'ai l'intention de nommer Robert Elgin maître d'équipage. Que pensez-vous de mon choix?

— Judicieux, monsieur. Vous avez mon appui.

— Parfait. Quand vous aurez fini, prenez le reste de votre journée et votre nuit si vous voulez, mais je veux vous avoir ici demain à l'aube, comme l'équipage. J'aurai besoin d'appui au cas où les hommes entendraient se mutiner.

*

Pendant que James Galloway achevait de se changer pour aller passer sa dernière nuit à terre avant l'appareillage, Michael Bulwark qui était revenu dans ses bonnes grâces le haranguait quant aux dernières directives avant l'embarquement.

— N'oublie pas, demain, avant de quitter ta conquête, pour assurer ta sécurité en mer, la dernière chose que tu dois faire après l'avoir embrassée et saluée, c'est important que ce soit la dernière chose, il faut que tu lui touches le sexe.

— Quoi, vous croyez que j'ai attendu de la quitter pour lui toucher? Vous êtes malade ou quoi?

— Je n'ai pas dit de ne pas lui toucher avant, mais tu dois le refaire une dernière fois, juste avant de la quitter, pour assurer ta sécurité. Je ne sais pas ce qui se passe, mais tu dois mettre toutes les chances de ton bord. Le vieux a devancé l'appareillage de deux jours. Ce n'est pas sans raison.

Puis il réalisa que le mousse arborait un tatouage sur le haut du bras droit.

— Dis-moi, James, depuis quand as-tu ce tatouage? C'est la première fois que je le remarque.

— C'est Lonergan qui me l'a fait avant de débarquer, pour me protéger contre les maladies que je peux attraper avec les filles. Des sornettes, mais ça lui faisait plaisir.

— Ce ne sont pas des sornettes, petit. C'est sérieux. Ne t'imagine pas que les filles que nous prenons dans les ports en sont à leur première expérience. Même si tu les transportes aux nuages, tu ne seras pas le dernier à les toucher. C'est connu, tu peux attraper de fichues maladies si tu n'es pas protégé. C'est à ça que sert un tatouage.

— Si ça peut vous plaire de le croire…

— Pendant que j'y pense, n'oublie pas, demain matin comme tout à l'heure, soit en embarquant soit en débarquant, ne le fais que du pied droit. Autrement ça te portera malheur.

Michael Bulwark n'avait pas vu, non plus que l'équipage, les rats quitter la frégate au cours de la journée. Autrement, William Prowe se serait retrouvé sans équipage. N'était-il pas de notoriété publique que, si des rats désertaient un vaisseau quand il était encore au port, c'était de très mauvais augure. Heureusement, ils s'étaient montrés discrets.

Pendant que le mousse et le quartier-maître discutaient dans les quartiers, William Prowe s'entretenait pour sa part, avec le second devant un verre de porto.

— Vous vous en êtes bien tiré, lieutenant. Nos chantiers maritimes auront tout lieu d'être fiers de vous.

— Merci monsieur. Si c'est tout, je demande l'autorisation de débarquer pour profiter de ma dernière nuit à terre.

— Allez-y et profitez-en en attendant la prochaine.

— Merci monsieur.

John Bowsprit finit son verre et, après l'avoir déposé sur la table, il quitta le commandant qui ouvrit son tiroir dès que la porte fut refermée. Après avoir allumé sa pipe, il rapprocha la chandelle, sortit le Journal de bord et commença à lire. Il remarqua en date de 11 octobre, cette mention au sujet de sa visite à l'intendant Hocquart, au terme de laquelle il était revenu à bord pour constater la disparition d'Isaac Cairn.

Malgré sa répugnance, le commandant décida de se rendre à la chambre de Cairn pour trouver de quoi le mettre sur une piste. Cairn avait peut-être été forcé à descendre. En nous divisant, argumenta pour lui-même le commandant, les hommes auraient plus de facilité à s'emparer de l'Essex. Il avait l'appui des quartiers-maîtres et du mousse, mais si les hommes décidaient de s'emparer du vaisseau, ni la vie de ces alliés ni la sienne ne vaudraient cher. Et la sécurité du mousse le préoccupait.

Si William Prowe avait eu un fils, il aurait aimé qu'il soit de sa trempe. Avant longtemps, James Galloway gravirait les échelons le menant au grade d'officier. Bulwark avait fait de ce déchet social un bon matelot, et le second avait éveillé sa soif de connaissance.

Pendant que ces pensées le berçaient dans l'enchantement de la réussite du mousse, la chandelle de sa table avait brûlé au point de n'être plus, dans le bougeoir, qu'un moignon de cire. Il l'utilisa pour allumer celle qui trônait sur la grande table, avant de reposer le bougeoir sur la table de travail et de sortir sur le pont, aspirant à pleines goulées, l'air frais de la nuit.

Cairn pouvait attendre, il n'y avait plus de danger qu'il se volatilise. Si une preuve de culpabilité subsistait, elle pouvait attendre pour sortir de l'ombre. Il enverrait probablement le second faire la fouille qui s'imposait. Il se rappelait les amères trouvailles mises à jour dans la chambre du maître d'équipage et ne voulait pas recommencer l'expérience.

Après s'être grisé de ces fraîches odeurs nocturnes, William Prowe décida d'aller s'étendre pour refaire ses forces. Le voyage commençant le lendemain risquait d'être périlleux. Outre les corsaires toujours possibles, quand les hommes sauraient quelle était leur destination, l'air se chargerait de révolte.

CHAPITRE VII

«Je me suis pris à caresser
La mer qui hume les orages...»
Paul Eluard

Lorsque l'ancre fut levée et le vaisseau mis sous voiles, le commandant fit venir le second sur le pont pour annoncer la double nomination, avant de permettre aux hommes de reprendre leur quart. Déjà il constatait que les hommes ne lui pardonnaient pas d'avoir devancé l'appareillage. Comment leur faire comprendre?

Il ne pouvait leur dire: «Nous devons partir parce que j'ai peur que Cairn nous ait vendus pour éviter les représailles de ses geôliers; je crains une attaque des troupes françaises». Autrement la mutinerie éclaterait au vu et au su des français. Il devait la vérité aux hommes, mais ne pouvait la leur asséner que goutte à goutte.

— La traversée a été lourde en pertes humaines, nous devons faire un remaniement. Nous avons embauché un nouveau charpentier qui parle anglais; il assurera l'entretien du vaisseau pour le retour. Des questions?

— Qu'est-ce qui nous dit qu'il est compétent, monsieur?

— J'ai précisé, Elgin, que nous avions embauché un charpentier. S'il n'avait pas été compétent, j'aurais parlé d'un apprenti. Autre point, nous avons perdu plusieurs hommes et il n'était pas question d'embaucher massivement ici.

«Nous pouvons nous passer de mousse et nous manquons de matelots. J'ai décidé de promouvoir James Galloway. Comme la bordée de jour a été la plus affectée par les pertes, il me paraît logique de laisser James Galloway avec cette bordée. Je répète pour que ce soit clair pour tout le monde, il n'y a plus de mousse à bord et James Galloway est désormais matelot.

137

«De plus, nous savons qu'il est impossible pour l'Essex de voguer sans maître d'équipage. J'ai décidé de nommer Robert Elgin à ce poste. Quant à celui qui remplacera Elgin, je n'ai pas encore choisi. En attendant, le quartier-maître pour son quart sera intérimaire et assuré pendant vingt-quatre heures par chaque homme, à commencer par Paul Thomas. Outre ce poste qui est à combler, les autres nominations ont force de loi dès à présent.

William Prowe était satisfait, les hommes semblaient contents des nominations. Il fit signe au second de le suivre et se dirigea vers le carré. Dès que la porte fut fermée derrière eux, le commandant prit l'initiative.

— Je n'ai qu'une parole, lieutenant. Nous faisons route vers l'Acadie, nous devons porter la solde des armées d'Annapolis Royal puis de la Nouvelle York. Quant aux caisses, trois ont été avariées, mais les dix-sept autres contiennent la même chose.

— Quoi? s'exclama le lieutenant ne pouvant feindre n'avoir pas entendu. Nous flottons sur un véritable vaisseau d'or, monsieur!

— En effet. Regardez-vous. Vous comprendrez pourquoi j'avais ordre de ne vous informer qu'après avoir quitté Québec. Si vous voulez revoir l'Angleterre, vous devez garder le secret.

— Je comprends maintenant pourquoi vous aviez dit à Cairn qu'il devait protéger la cargaison au péril de sa vie. Je me demande si je n'aurais pas été mieux de ne pas savoir, monsieur.

— C'est un peu tard pour ça, lieutenant.

— J'ai une faveur à vous demander, monsieur. Puis-je avoir un grand verre de rhum pour aider cette nouvelle à passer?

— Avec plaisir, lieutenant.

— Que se passera-t-il si j'ai besoin de me confier? Je ne suis pas sûr de pouvoir garder le secret aussi longtemps que vous.

— J'espère bien que vous n'aurez pas à le garder si longtemps. Autrement, ça voudrait dire que nous passerons l'hiver en Amérique et je veux être en Angleterre pour Noël. Je pense que les hommes seraient heureux de voir leurs familles pour Noël.

«Enfin, si vous avez besoin de discuter, de jour ou de nuit, venez me voir. Je n'ai pas votre instruction, mais d'une façon ou d'une autre, personne à bord ne l'a...

138

— J'y songe, monsieur, cette cargaison, comme vous l'appelez, ça représente la solde de plusieurs militaires?

— Celle de tous les soldats anglais en poste de ce côté-ci de l'Atlantique, et pour l'année à venir. Si nous la perdions, nous serions mieux d'oublier l'Angleterre à jamais. Vous devriez, vous aussi, vous habituer à parler de cargaison plutôt que de vaisseau d'or ou de trésor. Autrement, vous vendriez la mèche. Et avec une âme de cette taille, c'est facile de nous faire sauter.

— Ne croyez-vous pas, monsieur, que nous devrions en glisser un mot au maître d'équipage et aux quartiers-maîtres?

— Non, rien ne sert d'être sept pour garder le secret. Nous serions vite dix, puis vingt, puis quarante... Il n'y a qu'une façon de tenir le secret, qu'il demeure entre vous et moi.

— J'imagine ce qui se serait passé si Cairn avait su. Au fait, je vous dois des excuses. Je vous ai mal jugé à son sujet.

— Parlant de ce scélérat, j'ai besoin d'un homme de confiance pour le faire épier à son insu. J'ai envie de demander à James... J'aurai besoin de vous aussi. De toute façon, on en reparlera dans un jour ou deux.

*

Sur le pont, Elgin ne pouvant se mettre dans la peau du maître d'équipage, participait aux tâches comme par le passé, jusqu'à cette nomination qu'il traînait derrière lui, embarrassante comme une queue de chemise sortie. Plutôt que de la voir comme une marque de respect que ses subalternes lui devaient, il ressentait une gêne qui l'agaçait souverainement.

Pour une fois qu'il prenait de l'emprise sur son rôle, lorsqu'il vit William Prowe sortir de son poste en fin de journée, Elgin mit l'épaule à la roue. Il devint nerveux lorsqu'il vit le commandant approcher vers lui, comme s'il avait eu quelque reproche à se faire.

— Qu'y a-t-il, Elgin? Vous ne vous faites pas à votre nouveau rôle?

— On ne peut passer par-dessus bord toutes ces années à servir, monsieur.

– Je ne vous demande pas de passer votre expérience par-dessus bord. Au contraire! Pour commander aux hommes, il faut savoir obéir. Si ça peut vous sécuriser, il ne se passe pas un jour sans que je songe au temps où j'appartenais à l'équipage. Emménagez dans votre chambre, vous rentrerez dans votre rôle.

«Mais je vous préviens, je ne veux pas de bavure. Pas question de punir un seul homme avant de m'avoir referé son cas. Faites un ménage, mais ne jetez aucun effet de Gilbert, à l'exception de sa collection. Je ne vois pas ce que sa famille en ferait. Je compte sur vous pour les faire disparaître discrètement. Tenez, profitez de votre réveil nocturne pour vous en débarrasser.

«Quant à ses autres effets, mettez tout dans son sac et faites-le descendre à la cale. A notre retour, je le ferai porter à sa famille. Ainsi, ils pourront le vénérer sans avoir l'impression qu'il était fou furieux. J'espère que vous me comprenez bien.

– Oui monsieur, ce sera fait selon vos ordres.

– Parfait. Maintenant, faites comme si je n'y étais pas.

– C'est difficile d'oublier que le commandant est sur le pont, monsieur.

– Essayez Elgin, essayez... On verra bien.

William Prowe quitta le maître d'équipage, se dirigeant vers le gaillard d'avant où il pourrait faire corps avec sa frégate. Malgré le va-et-vient sur le pont et dans les haubans, les cris et les ordres résonnant de partout, une main sur la lisse de pavois, l'autre sur le beaupré, il partageait avec Méduse le bonheur de fendre le vent, ouvrir la voie à l'équipage.

Inquiet, il repoussait l'avenir pour se gaver du bonheur de naviguer, jouir de la vie au large, vie de fortunes et de misères. En ce moment, il n'eut pas changé de place avec quiconque, pas même avec le roi. Pourquoi changer ce qui le comblait? Il avait vérifié la fiabilité et la souplesse de l'Essex. Le second avait raison, les chantiers navals français étaient imbattables.

Il passa de longues heures, grisé par la sensation de pouvoir qui s'était emparé de lui dès qu'il avait vu ce vaisseau. On n'approuvait pas le changement de figure de proue sur l'Essex, mais c'était sa façon d'assurer un lien avec le passé. Même si les superstitieux ne prisaient pas la substitution, c'était pour lui une façon de remercier le Norfolk pour ces années de bons services.

Lorsque le second s'approcha jusqu'au mât de misaine, le caban du commandant à la main, Prowe réalisa que la nuit était tombée. Depuis quand? Il l'ignorait et ça lui importait peu.

— Monsieur, vous devriez le porter. La nuit est fraîche et le temps ne se réchauffera pas avant demain.

— Vous n'avez qu'à me l'apporter.

— Je préfère ne pas m'approcher de l'étrave, monsieur.

— Pourquoi? Ne craignez rien, c'est solide. Jamais je ne croirai, lieutenant que vous avez peur de la Méduse...

— Pourtant, monsieur, je n'ai pas peur, je suis terrifié.

— Allons, ce n'est qu'une figure de proue.

— Ne craignez rien, monsieur, je connais les moindres détails de son histoire. Le français a des bases grecques et latines. Et les français adorent la mythologie. J'étais donc dans le pays rêvé pour tout savoir sur le sujet.

— Savez-vous que c'est de son cou qu'est né le cheval ailé?

— Pégase? Oui, monsieur. Comme je sais qu'il transporte, selon la mythologie, les éclairs et le tonnerre.

— Et vous avez peur de Méduse? Elle n'a aucun pouvoir...

— Vous oubliez, monsieur, que même décapitée, elle gardait celui de pétrifier ceux qui la regardaient en face. Quand j'approche de la proue, j'ai l'impression de l'entendre rire. C'est peut-être stupide, mais je n'y peux rien, je ne trouve pas la force de m'en approcher.

— Ça viendra, lieutenant.

— Je ne crois pas, monsieur. Elle me terrifie plus ce soir, maintenant que je sais certaines choses que j'ignorais hier.

— Si c'est ce à quoi je pense, quel rapport avec Méduse?

— Pensez-y, monsieur. Qu'est-ce qui a perdu Méduse? Persée! Et si on va plus loin, comment Persée a-t-il été conçu? C'est ça qui a causé la perte de Méduse.

S'apprêtant à demander au second en quoi une pluie était menaçante pour l'équipage, William Prowe se rappela le sculpteur qui lui avait raconté l'histoire de la Gorgone. En racontant la procréation de Persée, la mention de la pluie d'or avait allumé des lueurs de cupidité dans les yeux de l'homme.

Finalement, William Prowe conclut que le second manquait un peu de la froideur qui en ferait un commandant capable d'affronter n'importe quelle situation. La France a peut-être plus de traces sur lui qu'il ne le reconnait, songea le commandant. S'il se laissait influencer par la mythologie...

Mais John Bowsprit était mieux d'être trop près de ses hommes que trop éloigné. Ainsi il saurait s'en faire des alliés, ce qui était un atout en sa faveur. Las de bercer ses idées sur le roulis, il jugea préférable de rentrer pour se reposer. Il en aurait besoin avant longtemps.

CHAPITRE VIII

«La proximité de la mort me donne l'impression
de voir le continent et d'arriver au port après
un long périple sur les mers et les océans...»
Caton l'Ancien

Quatre jours après le départ, William Prowe fit venir le second et James Galloway pour mettre son plan à exécution.

— Lieutenant, commença le commandant, vous allez vous rendre à la chambre de Cairn et la fouiller de fond au comble; que pas un pouce carré ne vous échappe.

— Bien, monsieur, mais que dois-je y chercher?

— Des preuves qui peuvent le disculper ou l'incriminer. Regardez ses effets personnel et ce qui fait partie de l'Essex. Cherchez s'il n'y aurait pas de cachette dans le plancher, les murs, le plafond, partout. Je le répète, je ne veux pas qu'un pouce carré vous échappe.

«Et n'oubliez pas de fermer la porte derrière vous, rien de sert d'alarmer l'équipage. Et si vous trouvez quelque chose, je compte que vous m'en avisiez immédiatement. Faites.

— Bien monsieur.

Le lieutenant sorti, James Galloway se sentit fondre. Depuis sa nomination, c'était sa première convocation au carré. Il ignorait donc ce qui l'attendait. Avait-il déjà hypothéqué sa première promotion? Pourtant, le commandant l'aborda en douceur.

— Bonjour, James. Comment ça va?

— Bien, monsieur. En tous les cas pour le moment. Mais les hommes disent que ce n'est pas bon d'être appelé au carré.

— Avant d'aller plus loin, je veux que tu gardes le secret sur ce que tu as entendu entre le lieutenant et moi.

— Vous n'avez pas besoin de me le demander, monsieur.

— Maintenant dis-moi ce qui te tracasse.

– La colère gronde, monsieur. Les hommes disent que vous nous avez punis en devançant l'appareillage.

– Et toi, qu'en penses-tu?

– Je suppose, monsieur, que vous avez vos raisons. Même si j'étais bien couché à Québec, j'avais hâte de reprendre la mer. Pas pour rentrer à Bristol, personne ne m'y attend.

– J'ai au contraire entendu les embruns raconter que la servante du Lord Maire t'attend impatiement, taquina le commandant.

– Celle-là, elle va m'attendre longtemps, riposta le matelot. Non monsieur. Personne ne m'attend, à l'exception de la mer. Je ne peux pas l'expliquer, je n'ai pas assez de mots. Je ne comprends pas comment j'ai pu rester si longtemps à ne voir la mer que du rivage. Un peu comme si une fille m'avait fait des avances depuis des années sans que je comprenne.

«Je ne sais pas si la mer m'appelle ou si j'entends des voix, mais je ne vois pas comment me passer d'elle. Devant la mer, je ne trouve pas mes mots. On dit qu'on ne peut pas expliquer l'amour; ce doit être ça, je suis en amour avec la mer.

«Je sais qu'elle peut me prendre n'importe quand, m'écraser, m'emmener dans les profondeurs, je ne crains pas. Quelle belle fin, monsieur, emporté par sa maîtresse. Je dois vous paraître bête... Mais j'imagine que vous ne m'avez pas convoqué pour parler de mon attrait pour la mer.»

– En effet, bien que je sois heureux de constater que je ne suis pas le seul à avoir cette maladie. Je t'ai fait venir parce que j'ai besoin de toi. Tu sais ce que nous transportons, je pense que ce n'est pas étranger à la perte de Cairn. J'aimerais que tu t'organises pour qu'il ait confiance en toi, pour le faire parler. Je te le dis à l'avance, peut-être que ce que tu apprendras le sauvera, mais il est possible que ça le perde.

– Vous voulez dire que ça pourrait l'amener en bout de vergue du grand hunier? Si c'est ça...

– D'une façon ou d'une autre, il y est condamné. Il a abandonné son poste devant l'ennemi. Une telle faute entraînera toujours la mort. C'est pour ça qu'il est à la cale. Mais il y a peut-être été forcé, auquel cas il aurait des circonstances atténuantes. Ça ne le sauvera pas de la pendaison, mais je pourrais lui laisser son grade alors que s'il n'a pas d'excuse valable, il sera dégradé avant d'être pendu.

— N'est-il pas possible de le gracier, monsieur?

— Non. Un Tribunal de plus haute instance renverserait ma décision et, parce que je n'aurais pas su faire respecter la Loi, je serais dépossédé. Non, c'est impossible. Officiellement, tu es chargé des prisonniers. Et si tu apprends quelque chose... En attendant, va me chercher le maître d'équipage et Bulwark.

— Bien, monsieur, conclut le matelot en se levant pour prendre congé.

William Prowe n'eut pas le temps de plonger dans ses pensées. En sortant le Journal de bord, il entendit frapper au chambranle de la porte du carré.

— Entrez, lança-t-il en refermant le tiroir.

— James nous a dit, monsieur, que vous vouliez nous voir.

— Je ne vous retiendrai pas inutilement. Je vous ai appelés parce que vous êtes les supérieurs de James. Pendant un certain temps, j'aurai besoin de lui. Vous allez devoir faire avec une équipe réduite. Ne comptez pas sur lui, il relève directement de moi.

— Monsieur, le quart de Bulwark est déjà à effectifs réduits, la perte de James l'affectera.

— Tous les quarts sont réduits, Elgin. S'il y a des équipes moins réduites, allez y chercher un remplaçant. Si je dis que j'ai besoin de James, c'est que j'ai besoin de lui. Si j'avais eu besoin d'un autre, j'en aurais pris un autre.

— Bien monsieur.

— C'est tout! Je ne vous retiens plus.

— A vos ordres, monsieur, se contenta de rétorquer le maître d'équipage en amorçant sa sortie.

— Monsieur, hasarda Michael Bulwark, je dois me plier à vos ordres, mais pour réorganiser ma bordée, avez-vous une idée du temps que James sera absent de notre équipe?

— Le moins longtemps possible.

— Merci, monsieur, répondit le quartier-maître avant de quitter la pièce.

Dès que la porte fut refermée sur les deux hommes, William Prowe sortit le Journal de bord et y nota, fidèle à sa discipline, succinctement, la fouille des effets de Cairn par le second, ainsi que le traquenard demandé à James Galloway. Il referma le livre avant de sortir pour se rendre sur le pont. Mais machinelement, il bifurqua et se rendit à la chambre de l'aspirant Cairn où il frappa à la porte.

— C'est moi, lieutenant, se contenta-t-il de dire à travers la porte pendant que le second s'avançait pour ouvrir.

— Oui monsieur?

— Vous n'avez toujours rien trouvé?

— Toujours rien, monsieur. Mais, ajouta-t-il en murmurant pour n'être pas compris de l'équipage, je me demande si vous ne devriez pas récupérer ses armes. A la cale, il n'en a pas besoin. Avec les esprits échauffés que nous avons à bord, moins il y aura d'armes disponibles, mieux ce sera.

— Vous avez raison. J'ai envoyé James tirer les vers du nez de Cairn. J'espère ne pas le regretter. Cairn sait à quoi s'attendre. Il n'a rien à perdre. Pour ses armes, apportez-les au carré, je m'en occuperai.

— Bien monsieur, conclut le lieutenant tandis que le commandant tirait la porte sur lui.

Prowe revint au carré et en ressortit avec le sextant. Après avoir fait ses relevés, il évalua la position de l'Essex à 64 degrés, 30' 20'' de latitude Nord, par 49 degrés 12' 5'' de longitude Ouest. Rentrant, il transposa ses calculs sur la carte de travail et constata que le moment de la vérité approchait à grands pas.

Dans quelques heures, il lui faudrait aviser le timonier de virer par tribord à 130 degrés et de maintenir le cap. Il allait sortir pour dire au second que le temps n'était plus à la fouille lorsqu'il reconnut ses pas. Il lui ouvrit la porte. Bowsprit entra les mains vides, le teint livide.

— J'ai de bonnes et de mauvaises nouvelles, monsieur.

— Moi, je n'en ai que des mauvaises. A partir de maintenant, vous devez porter vos armes en tout temps. Même en vous couchant. J'ai fait les relevés, ajouta-t-il en tirant le second par la manche jusqu'au plan de travail. Nous sommes ici. D'ici deux heures, je devrai aviser le timonier de virer de cap.

— Pourquoi, monsieur, ne pas faire le tour de l'Isle Royale plutôt que de passer par le détroit de Fronsac?

— Parce que nous devons à tout prix éviter les côtes de l'Isle Royale. Louisbourg, lieutenant, ça vous dit quelque chose?

— La forteresse? Et comment, monsieur. Je ne l'ai jamais vue, mais on dit qu'elle est imprenable.

— Non seulement elle est imprenable, elle est imparable. Il n'y a qu'une façon de l'éviter: le détroit de Fronsac. Je vois d'ici la marine française mouillant au large de Louisbourg, prête à foncer sur nous. Avec nos vingt-quatre canons, nous serions écrasés. Ils seraient fiers de faire main basse sur la cargaison. Ce serait un dur coup pour nos armées. Et ce serait plus long en contournant l'Isle Royale. Quoi de neuf de votre côté?

— J'ai trouvé un dépôt d'or et de pierres précieuses, monsieur, largement supérieur à ce que sa condition lui permet. Voyez plutôt, ajouta-t-il en sortant un lingot de sa tunique. Et il y en a beaucoup d'autres! C'était sous un bordé de pont détaché sous son coffre. J'ai fouillé partout. J'ai trouvé son épée, mais je n'ai pas vu ses pistolets.

— Il faut les trouver de toute urgence. Autrement il n'y aura plus moyen de se reposer d'ici à ce que nous arrivions à Annapolis Royal. Et croyez-moi, du repos, avant de jeter l'ancre, vous comme moi, nous en aurons besoin.

— Cairn a-t-il été fouillé avant d'être mis aux fers?

— Je l'ai moi-même fouillé. D'ailleurs, vous oubliez la Citadelle. Ils l'ont certainement fouillé avant.

— Alors, tout s'explique, monsieur. Il est descendu armé et il se sera fait saisir ses pistolets par les gardes du gouverneur.

— Peut-être, lieutenant, mais je n'en suis pas convaincu... Bon, silence là-dessus, James s'en vient. Entre, James...

— Vous aviez raison, monsieur. Excusez-moi, lieutenant, mais monsieur, dois-je parler devant lui?

— Oui, oui, vas-y. Qu'as-tu appris de nouveau?

— La première chose, monsieur, bien que ce soit sans importance pour vous, il m'a demandé de me soumettre...

— Pardon? rétorquèrent ensemble les deux officiers en écarquillant les yeux.

— Oui, monsieur.

— Décidément, il ne pense qu'à ça. Même aux fers!

— Et quoi d'autre?

— Il a dit, monsieur, que je paierais comme le charpentier, si je ne change pas d'idée avant demain.

— Owen? Mais il l'a tué en pensant qu'il s'attaquait à moi.

— C'est ce qu'il vous a fait croire, monsieur. Du moins d'après ce qu'il dit, il a attendu une occasion pour le supprimer. Quand la révolte a éclaté, il en a profité. Il dit que pour me faire confiance, je dois lui apporter ses pistolets demain. Je dois profiter de la nuit pour aller les chercher dans son coffre. Apparemment, ils sont dans une cassette.

— Voulez-vous vérifier, lieutenant?

— Tout de suite, monsieur, encore que je doute.

— J'espérais, James, que tu m'apportes la preuve qu'il avait été forcé de quitter le pont. Non seulement ce n'est pas le cas, en plus il cherche à fomenter une mutinerie, c'est clair.

— Si je ne vous avais pas donné ces renseignements, monsieur?

— Ça n'aurait rien changé. J'ai autre chose contre lui, il a pillé les caisses avant qu'elles soient fermées. Regarde ce poinçon sur ce lingot, c'est celui du roi; ce numéro correspond à la cargaison de la cale. Ce lingot a été trouvé dans la chambre de Cairn. Comment l'expliquer autrement que par la piraterie?

«Le lieutenant Bowsprit devrait revenir bientôt avec les pistolets de Cairn, s'ils sont où il le prétend. Ensuite, je veux que tu ailles avec lui, que vous apportiez cette caisse à la chambre de Cairn et que vous y mettiez tout ce que vous trouverez appartenant à la cargaison. Tiens, le voilà justement.

— Ils ne sont pas là, monsieur, fit le lieutenant qui arborait son épée et dont la tunique laissait paraître deux bosses à la taille. Ce sont les miens. Autre chose, monsieur. Son épée a disparu.

— Vous m'avez dit tout à l'heure qu'elle y était.

— Oui, monsieur, mais elle n'y est plus.

— Donc, nous n'avons pas le choix, il nous faut passer à

l'offensive. James, tu vas avec le lieutenant, vous récupérez l'or et vous rapportez ça ici. Pendant ce temps, je m'active de mon côté, ajouta-t-il en ouvrant la porte.

— Elgin, hurla le commandant, au carré immédiatement!

Lorsque les deux hommes furent sortis, William Prowe referma la porte. Ce double vol pouvait être aussi bien le fait de la bordée de nuit que celle de jour. Même s'il faisait une fouille minutieuse, rien n'assurait que les armes étaient dans les effets des hommes. S'il avait été en cause, il ne les aurait cachées ni dans son coffre, ni dans son sac. Où? Il fut arrêté dans sa réflexion par des coups frappés à la porte.

— Entrez, Elgin, entrez.

— Monsieur?

— Premièrement, refermez la porte. Je veux que vous fouilliez le vaisseau, une fouille de la quille aux caps-de-mouton. De plus, je veux que tous les hommes soient fouillés personnellement de même que leurs effets.

— Qu'est-ce qui se passe, monsieur?

— Je ne sais pas depuis quand les pistolets de Cairn sont disparus, mais son épée était dans sa chambre il y a moins d'une heure. Elle n'y est plus.

— Et celui qui les a subtilisées, monsieur?

— On verra, Elgin. Si je ne suis pas ici, je serai à la timonerie.

— Bien, monsieur. Je convoque les quartiers-maîtres immédiatement, ajouta le sous-officier avant de quitter le carré.

*

A la cale, Isaac Cairn discutait avec Morrisson de leur situation, en éguibant un morceau de morue salée.

— Avant longtemps, je serai maître de ce vaisseau.

— Vous croyez que Galloway va vous apporter vos pistolets?

— S'il ne me les apporte pas, il paiera. Il verra ce qu'il en coûte de se frotter à un aspirant.

— Vous ne l'êtes plus.

— Mais je l'ai été et avant longtemps, d'ici trois jours, au plus, je commanderai cette frégate. Prends-en ma parole. Le pacha et le français iront là où ils me destinent. Et, même si j'y passais, je reviendrai m'emparer de ces caisses, même si ça prend cent ans.

— Vous voulez dire que vous passerez le vieux et le français au grand hunier?

*

Lorsque l'aube se leva sur le golfe, William Prowe vit que son impression de la nuit s'était confirmée. Pendant une sortie nocturne, il avait cru remarquer un taux anormal d'humidité dans l'air. Il en avait conclu que la brume se levait.

Il espérait qu'elle persisterait suffisamment longtemps pour atteindre le détroit de Fronsac. Les seuls obstacles se dessinant d'ici là: l'archipel des Isles de la Madelaine qu'il devrait franchir par le sud et la Pointe de l'Est de l'Isle Saint-Jean. Un seul jour de brume encore et c'était dans la poche. Une brume assez dense pour s'approvisionner en eau douce en pigeant dedans à pleine baille.

Tellement épaisse, tellement compacte, qu'il l'entendait déchirer sous la pression des étais et des haubans. Non, cette brume ne se lèverait pas avant plusieurs heures au moins. L'Essex voguerait à vitesse réduite tant qu'elle durerait, mais qu'importait de voguer à huit ou dix nœuds au lieu de douze ou quatorze si les hommes ne s'apercevaient pas qu'on a dévié de la route que tous croyaient être celle de l'Essex.

Tant que le timonier tiendrait sa langue… On n'avait pas retrouvé les armes de Cairn, mais William Prowe ne l'avait pas espéré qu'à demi. Comment s'imaginait-il que l'équipage rendrait des armes pouvant assurer un revirement de situation? Tant qu'ils ne trouveraient pas d'occasion propice pour mettre les armes à nu, l'épée et les pistolets demeuraient enfouis.

Tant que cette brume compacte comme un banc de neige persisterait, on pouvait espérer. Prowe eut aimé faire force de voile, faire route bonnettes sur bonnettes. Mais les hommes auraient sauté aux conclusions. On sortait les bonnettes par beau temps, pas quand on ne pouvait distinguer le bout de son nez. Pourquoi

150

tant chercher à forcer l'allure puisqu'on voguait dans une absence de temps.

La frégate poursuivrait sa course à l'insu des hommes tant que persisterait la brume. Et Prowe savait qu'il pourrait passer au travers, la voir lever si soudainement que la frégate piquerait de l'étrave. William Prowe se prit à caresser les jambettes de pavois en avançant vers le gaillard d'avant.

— File, ma jolie, file. Vogue comme tu ne l'as jamais fait. Va! Gagne du temps, donne tout ce que tu peux, force l'allure. Profites-en pendant que les hommes ignorent où nous allons, susurra-t-il.

Tout l'avant-midi, tout l'après-midi, sans quitter le pont, sans manger, William Prowe encouragea l'Essex dans ses efforts pour déchirer le brouillard, continuer sa quête d'absolu, quête de grands espaces, quête de vagues et d'embruns.

*

Au milieu de l'après-midi, William Prowe vit arriver le lieutenant Bowsprit affublé de son caban.

— Vous devriez rentrer, monsieur, à tout le moins pour vous changer, vous êtes trempé.

— Qu'est-ce que ça me donnera, lieutenant? Avec cette brume, en moins de d'une demi-heure, je serai encore trempé.

— Je n'avais encore jamais vu une telle brume.

— A toutes les fois que vous viendrez dans cette région, vous risquez d'en rencontrer. Elles s'installent vite et peuvent durer longtemps, parfois plusieurs jours d'affilée, mais lèvent soudainement. Mais c'est beaucoup plus fréquent au printemps. Ce sont les petits cadeaux de ma vielle épouse, lieutenant.

— Des cadeaux desquels je me passerais volontiers, monsieur.

— Il y a un poète français qui a dit un jour, je ne me souviens pas sa formulation, ça disait en substance que si vous craigniez la mer, vous étiez mieux de rester sur la côte, si vous craigniez les peines et les désagréments de l'amour, mieux vaut ne pas aimer.

— Ah oui, un certain Marbeuf. Il concluait sa comparaison

151

en disant «Et tous deux ils seront sans hasard de naufrage», déclama théâtralement le lieutenant.

— Totalement d'accord, ajouta une voix dans le dos des deux officiers.

— O'Connor?

— Oui, monsieur. Comme je disais, je suis d'accord avec le second, sauf que, pour votre malheur à tous deux, vous avez décidé de naviguer. Vous devez donc vous soumettre aux hasards des naufrages et autres aléas de la navigation.

— Qu'est-ce que vous voulez dire, O'Connor? Soyez clair, nom de Dieu!

— Qu'est-ce que c'est que ça, commandant, un capitaine du roi qui jure? Ne croyez-vous pas qu'il serait plutôt temps de prier?

— Expliquez-vous, O'Connor, rugit le commandant.

— La brume a ses inconvénients. Autrement, vous verriez deux pistolets dans mes mains, fraîchement chargés, donc avec de la poudre inflammable contrairement aux vôtres. Je vous l'ai dit, la brume a des désavantages. Si elle n'était pas là, vous verriez que mes pistolets sont armés en double et qu'ils sont pointés tout deux vers vous et le second. Suis-je assez clair?

— Qu'est-ce que vous voulez?

— Une chose, le reste en découlant. Cessons de jouer les hypocrites, Prowe, vous n'êtes plus en état de commander, et je n'ai pas envie de faire semblant que je vous respecte. Je suppose donc que vous comprendrez si je dis que je ne vous appellerai plus «commandant». Ça, c'est pour le premier point.

«Pour ce que je veux, je pourrais dire que je veux la cargaison et ce ne serait pas faux, au contraire. Ajouter que je veux que vous liquidiez les deux pédérastes de la cale. Parce que j'ai horreur de cette racaille. Mais, comme je prévoyais que vous diriez non, je m'en suis déjà chargé. Cairn a froidement tué George Owen, par un juste retour des choses, je l'ai froidement transpercé avec son épée. Pour ce qui est de son amant, j'ai voulu lui éviter une peine d'amour.

«Ne craignez rien, ce n'est plus moi qui ai l'épée. Je n'ai malheureusement que deux mains. C'est un de mes hommes qui l'a. J'espère que vous ne m'avez pas cru assez imbécile pour vous destituer à moi seul. Pour revenir à ce que je veux, je pourrais dire que je veux l'immunité, réclamer un meilleur traitement pour les hommes. Je pourrais ajouter que je ne veux plus être insulté par vous. Je pourrais dire enfin, que je veux le commandement et l'Essex, ma foi, tout ça serait vrai. Mais, comme je vous l'ai dit, je me contenterai d'une chose, les autres en découlant.

    — Et quelle est-elle?

    — Votre peau!

*

Un coup de vent de tempête vint frapper la voilure qui déséquilibra tout le monde sur le pont. Et, comme l'avait dit le commandant à John Bowsprit, la brume se déchira. Les deux officiers distinguaient maintenant, de plus en plus nettement, d'abord O'Connor dont les pistolets pointaient dans leur direction, puis un groupe d'hommes dont le mutin avait fait état.

John Bowsprit fourragea les mutins des yeux, mais ne vit ni le maître d'équipage, ni le quartier-maître Bulwark et pas davantage James Galloway. Davidson avait, dans la main droite, l'épée de Cairn, tandis que de la gauche, il tripotait son couteau de travail comme les hommes en retrait derrière lui.

    — Vous voyez que je n'ai pas menti, ricana O'Connor. Vous n'avez aucune chance de vous en tirer.

    — Vous êtes une ordure, O'Connor.

    — Peut-être! Sauf que, dans une heure je serai toujours vivant tandis que vous et Bowsprit apprendrez à nager avec la morue et le hareng par plus ou moins vingt-cinq brasses. Puisque vous n'avez plus besoin de vos armes, Bowsprit, levez les bras. Thornbull, va chercher ses pistolets et son épée. Quant à vous, Prowe, un geste et vous êtes mort avant d'avoir eu le temps de faire vos prières. J'espère que je me fais bien comprendre.

Thornbull s'avança, évitant de passer entre O'Connor et William Prowe, puis, après avoir désarmé le lieutenant, il rapporta les armes à Davidson.

    — A votre tour, Prowe, de vous débarrasser de ces objets

153

encombrants qui ne vous serviront plus. Vas-y, Brown. Bowsprit, vous aller du côté du gaillard. Maintenant que tu as changé la poudre de ses pistolets, montre-lui donc le chemin, Davidson.

— Je peux rester là où je suis.

— Non, Bowsprit. J'ai dit d'aller au gaillard d'avant. Un conseil, obéissez!

— Qu'est-ce qui se passe ici, intervint Elgin qui réapparaissait sur le pont en compagnie de James Galloway.

— Ta gueule, Elgin, persifla O'Connor. Autrement tu iras les rejoindre sous l'eau. Tu as eu la promotion que tu voulais? Moi aussi j'en veux une. Comme le maître d'équipage a été remplacé, je prends le poste de commandant.

— Qu'est-ce que c'est que ce vaisseau, par bâbord? demanda James Galloway.

— Sans importance, moucheron, un vaisseau à la fois. Aujourd'hui l'Essex, demain un autre. A chaque jour suffit sa peine. N'est-ce pas, Prowe? Maintenant que vous êtes allégé, allez rejoindre votre acolyte.

Pendant qu'O'Connor suivait le commandant des yeux, tout le reste de l'équipage présent sur le pont n'avait d'yeux que pour le trois mâts barque filant, vent arrière, droit sur l'Essex.

— On dirait un vaisseau fantôme, remarqua Davidson. Avez-vous vu la voilure? Pas une voile n'est intacte. Je me demande comment il peut filer si vite avec des voiles en lambeaux.

— Il glisse sur l'eau, intervint un matelot.

— Mais non, ce n'est pas possible, un pareil vaisseau ne peut pas glisser au-dessus des flots.

— Oui, Davidson, répliqua le matelot. Si c'est un vaisseau fantôme.

— Crétin, un vaisseau fantôme, ça n'existe pas.

— Pourquoi les vaisseaux fantômes n'ont pas le droit d'exister si les châteaux hantés existent en Ecosse?

Tous entendirent un son lugubre. O'Connor l'attribua à un mutin derrière lui, John Bowsprit était sûr que la Méduse maintenant sous ses pieds riait. William Prowe, lui, aurait juré que Gilbert était de retour. Il avait assez souvent entendu le rire sanguinaire du maître d'équipage pour le reconnaître entre mille.

— C'est la fin, personne n'en réchappera, commenta le lieutenant Bowsprit dont la voix trahissait l'angoisse.

— Vous avez raison, Bowsprit, le temps est venu pour vous de payer, ricana O'Connor.

— Abruti, riposta Bowsprit. Personne n'en sortira vivant.

— Erreur! Vous et Prowe aller mourir, pas nous. Quant à ce vaisseau qui vous préoccupe, il va passer juste devant nous.

— Regardez donc sa figure de proue, imbécile heureux!

— Et qu'est-ce qu'elle a, cette figure? Un homme avec un bouclier dans une main, ça n'a pas de quoi m'énerver.

— Vous devriez pourtant l'être. Regardez son autre main.

— Elle tient un tête décapitée. Et alors?

— Cette figure de proue, O'Connor, c'est Persée. Et la tête qu'il tient, c'est celle de la Méduse, notre figure de proue.

— La barre à droite toute, lança William Prowe dans l'espoir d'éviter la collision.

— Vous oubliez, Prowe, que c'est maintenant moi qui commande, rectifia O'Connor avant d'être coupé par le même son démoniaque.

A nouveau, William Prowe fut convaincu d'avoir reconnu le rire de Gilbert, Bowsprit identifia à coup sûr celui, vengeur, de la Méduse, tandis que James Galloway et Robert Elgin étaient prêts à parier que c'était le vent qui hurlait dans haubans. O'Connor, lui, continua à croire qu'un homme derrière lui riait.

— Il ne peut plus nous éviter, commenta William Prowe. Je veux bien donner toute cette cargaison au diable si un seul de nous réussit à sortir vivant d'ici!

Tous les hommes regardèrent avec effroi la proue du vaisseau pointée sur le gaillard d'avant de l'Essex. John Bowsprit n'eut pas le temps de voir le nom écaillé sous le bossoir tribord. L'air fut déchiré par le fracas du bois qui éclate. Echoués sur un haut-fond, les hommes virent, tandis que l'Essex sombrait, le vaisseau fantôme continuer sa route après avoir passé au travers de la frégate anglaise.

CHAPITRE IX

«Ecoutez, écoutez la tourmente qui beugle!...
C'est leur anniversaire — il revient bien souvent — »
Tristant Corbière

Désormais seul survivant du naufrage, James Galloway que la mer avait rejeté comme un débris sur le rivage de l'île, n'avait plus le courage de se relever. Il lui faudrait pourtant s'y résoudre pour éviter d'être écrasé par les morses qui avaient fait de l'Isle du Corps Mort leur repaire. Il lui faudrait reprendre des forces pour se rendre, à la nage, dix milles plus loin, sur l'archipel des Isles de la Madelaine.

Il lui faudrait reprendre des forces pour raconter l'histoire de l'Essex afin qu'on se souvienne. Il lui faudrait l'écrire, parce que l'archipel n'était pas encore habité. Il faudrait attendre que les Anglais procèdent, quatorze ans plus tard, à la Deportation des Acadiens, pour enfin voir les premiers arrivants.

Il lui faudrait reprendre des forces pour vivre. Pour écrire en détail ce qu'il avait vu, *les Colères de l'Océan.*

Les Hautvents
Iles-de-la-Madeleine

1741 - 1991
250 ans après...

LEXIQUE

LES LIEUX:

Rivière Noustagouan: *Rivière Natashquan*
Isle Anticoste: *Ile d'Anticosti*
Isle Royale: *Ile du Cap Breton*
Détroit de Fronsac: *Détroit de Canso*
Annapolis Royal: *Annapolis*
Nouvelle York: *New-York*

LES EXPRESSIONS MARITIMES:

A

Abattre en carène: Coucher un navire sur un bord puis sur l'autre pour inspecter et nettoyer la coque. C'était une pratique courante dans l'ancienne marine.

Adonner: Se dit du vent lorsqu'il tourne dans un sens favorable à la marche d'un voilier.

Affranchir: Epuiser l'eau au fond d'une cale.

Aller à terre avec une longue-vue: Rester à bord, le navire étant au mouillage. (vieux terme)

Atterrages: Voisinage de la terre ou d'un port.

Ame: Synonyme de mèche.

Aveugler une voie d'eau: La boucher provisoirement avec les moyens du bord.

B

Baille: Nom marin du baquet.

Beothuks: Voir Appendice.

Beausir: Terme employé par les marins pour exprimer une amélioration du temps.

Bonace: Calme plat.

Bordage: Ensemble des planches épaisses qui recouvrent la membrure, les baux, les barrots en les croisant et les fortifiant.

Bordé de pont: Planche recouvrant le pont.

Bordée de jour... de nuit: Nom donné à la partie d'un équipage formant le quart de travail.

Bordez l'artimon: Ordre plaisant du temps de la marine à voile pour faire distribuer une ration supplémentaire d'eau-de-vie à l'équipage.

Bouteilles: Demi-tourelles appliquées de chaque bord et extérieurement à l'arrière d'un vaisseau. Elles servaient de toilettes aux officiers.

Brai: Résidu du goudron servant à recouvrir les coutures calfatées.

Brasse: Ancienne mesuie de longueur équivalente à 6 pieds.

C

Caban: Paletot en drap de matelot et manteau d'officier.

Carré: Local d'un navire servant de lieu de réunion et de salle à manger des officiers.

Cracher l'étoupe: Le navire en bois crache ses étoupes lorsque, par suite de la fatigue, les étoupes sortent des coutures.

D

Dépaler: Etre déporté par les vents et les courants hors de la route à suivre.

Desarrimer: Déplacement ou glissement de la cargaison d'un navire par suite d'un violent roulis ou tangage.

E

Ecouper: L'écoupe est un balai pour laver le pont, écouper est l'action de laver le pont.

Engager: Un navire est engagé quand il est tellement incliné par la force du vent ou le déplacement du chargement qu'il ne peut être redressé.

Epontille: Poutre servant à soutenir les barrots ou les solives du pont.

Etai: Cordage ou fil d'acier destiné à soutenir un mât dans le sens longitudinal.

Etrave: Prolongement de la quille.

F

Forcer de voiles: Porter plus de voilure que ne le permet le temps, pour augmenter la vitesse de route. (Faire force de voiles).

H

Hauban: Forte manœuvre parmi les plus importantes, elle sert, ainsi que les galhaubans à soutenir et assujettir les mâts par le travers et par l'arrière. Chez les grands voiliers, ils maintenaient un étage de mâture alors que les galhaubans supportaient plusieurs étages.

Hisser, rentrer les couleurs: Action de lever ou de baisser le pavillon ou drapeau.

M

Mantelet: Volet plein en bois ou en fer qui servait à fermer les sabords des batteries basses lorsque les canons étaient rentrés.

160

P

Pacha: Terme familier par lequel les officiers d'un vaisseau désignent le commandant.

Q

Queue de rat: Cordage terminé en pointe.

R

Ranger la côte: Passer à petite distance de la côte.
Roulis: Balancement du navire dans le sens transversal sous l'effet de la houle.

S

Sabord: Ouverture quadrangulaire pratiquée dans la muraille du vaisseau pour les canons.
Spindrift: «Embruns» en anglais.

T

Taraudeurs (vers...): Voir Appendice.
Travers: Le côté du navire.

161

APPENDICE

LES BEOTHUKS:

Etablis à Terre-Neuve, ils s'enduisaient le corps d'ocre rouge et leur description qu'en firent les Européens donnèrent naissance à l'appellation «Peaux Rouges».

Ce peuple paisible et hospitalier fut graduellement exterminé par les pêcheurs et les colons blancs. Le massacre commença par un malentendu. En novembre 1612 John Guy et un groupe de colons rencontrent des Beothuks à la Baie de la Trinité. Ils mangent et boivent de la bière ensemble et sympathisent tant qu'ils décident de se rencontrer l'année suivante. Mais un bateau de pêche armé arrive au lieu convenu avant Guy. L'équipage ne sachant rien du rendez-vous prend peur en voyant les Beothuks gesticuler sur le rivage et tire du canon sur eux. Les Indiens se vengent en essayant de s'emparer du matériel de pêche des Européens. Ceux-ci les pourchassent, puis anéantissent des villages entiers pour voler leurs pelleteries. La tuerie devient rapidement un sport...

Interdite en 1769, la boucherie se poursuivra quand même et le dernier des Beothuks, une jeune femme du nom de Nancy Shanawdithit, meurt à St-Jean en 1829.

In: *Héritage du Canada,*
Reader's digest. (1979)

PRINCESSE AUGUSTA:

Block Island, (Rhode-Island, U.S.A.) Les faits racontés au sujet de Andrew Brook et du capitaine George Long de même que l'équipage sont historiques. Le lien avec l'Essex est fictif. Quant à la date du naufrage, le 27 décembre 1738, c'est celle donnée par Vincent Gaddis dans *Les vrais mystères de la mer* (France-Empire, 1965). Catherine Jolicœur fait plutôt référence à 1752 dans son livre *Le Vaisseau Fantôme* (Presses de l'Université Laval, 1970).

ASSASSINAT D'ENFANTS POUR LES DISSEQUER:

(Paris, 1734) Ogre ou loup-garou, la peur hante à nouveau les rues de Paris. Les corps de 15 jeunes enfants ont été découverts chez un chirurgien et transportés à la morgue du Châtelet. Fossoyeurs et manieurs de scalpels auraient enlevé les victimes vivantes et les auraient assassinées pour alimenter le trafic de cadavres vendus pour la dissection. Ce macabre commerce va de pair avec la misère qui règne à Paris. Les petits vagabonds, les indigents et les sans travail se comptent par milliers. Les logis sont étroits et sales, les familles trop nombreuses et les foyers vont souvent à la dérive.

Les innocents jetés sur le trottoir se retrouvent parfois dans les caves nauséabondes…
sous la main des bourreaux.

In: *Chronique de la France et des Français,*
Larousse ed. (1987)

VERS TARAUDEURS:

Le «ver taraudeur» de l'époque de la marine à voile est ce qu'on appelle aujourd'hui
le «taret» (Teredo navalis Linné), un mot qui nous vient du vieux français «tarere»
qui signifie «percer». C'est un mollusque maritime à coquille bivalve qui vit dans le
bois submergé en y creusant des galeries. Vivant rarement plus d'un an, ils atteignent
jusqu'à six pouces de longueur. La coquille tient lieu de bouclier et ne couvre que la
partie antérieure de l'animal, ce qui lui a valu l'appellation de «ver». Il s'attaque à
toute catégorie de bois submergé, qu'il s'agisse des quais, des bateaux ou de morceaux
de bois à la dérive. Les tunnels creusés par le taret sont de véritables labyrinthes qui
amenuisent considérablement la solidité du bois, ce qui rend la navigation périlleuse.
A son entrée dans le bois, le taret perfore un trou de la grosseur d'une tête d'épingle,
trou qui grossit avec le développement de l'individu pour atteindre un diamètre d'un
quart de pouce, ce qui oblige à une inspection minutieuse de la partie submergée en
frappant sur les bordages, la quille…

PROCLAMATION ROYALE

«DE PAR LE ROI,
PROCLAMATION POUR LA REDUCTION DES PIRATES
GEORGE, ROI,

Ayant été informé que plusieurs sujets de la Grande Bretagne ont commis depuis
le 24 juin de l'année 1705 divers actes de piraterie et brigandages dans les mers des
Indes occidentales ou aux environs de nos plantations, qui ont causé de très grandes
pertes aux marchands de la Grande Bretagne et autres négociants dans ces quartiers,
nonobstant les ordres que nous avons donnés de mettre sur pied des forces suffisantes
pour réduire ces pirates; ayant trouvé à propos en venir à bout, plus efficacement, et
de l'avis de notre Conseil privé, de publier cette proclamation; promettant et déclarant
par la présente que tous les pirates qui se soumettront avant le 5 septembre 1718
par-devant un de nos secrétaires de Grande Bretagne ou Irlande, ou par-devant quelque
gouverneur de nos plantations au-delà des mers, jouiront de notre gracieux pardon
pour les pirateries qu'ils auraient pu commettre avant le 5 du mois de janvier prochain.
Par ces motifs, enjoignons et commandons très expressément à tous nos amiraux,
capitaines et autres officiers de mer, comme aussi à tous nos gouverneurs et aux
commandants de nos forts, châteaux ou autres places en nos plantations, et à tous
autres officiers civils ou militaires, de se saisir de tous pirates qui refuseront ou
négligeront de se soumettre conformément à la présente. Déclarons en outre, que toute
personne qui pourra découvrir ou faire en sorte que l'on découvre et arrête un ou
plusieurs de ces pirates, à commencer du 6 janvier 1718, en sorte qu'ils tombent entre
les mains de la justice pour être punis de leurs crimes, recevra récompense; savoir,

pour chaque commandant de vaisseau, la somme de 100 livres sterling, pour chaque lieutenant, maître, contremaître, charpentier et canonnier, 40 livres sterling, pour chaque officier subalterne, 30 livres et pour chaque matelot, 20 livres. Et si quelqu'un de la troupe, ou au service des commandants ou navires, peut, dans le terme susdit saisir ou livrer, ou faire en sorte qu'on arrête quelqu'un de ces commandants, il aura pour chacun 200 livres sterling, lesquelles sommes seront payées par le Lord Trésorier, ou par les commissaires de notre Trésorerie qui seront par lors de service en étant requis par la présente.

Donné à Hampton-Court le 5 septembre 1717.
L'an quatrième de notre règne.»

In: *Les Chemins de Fortune,*
Phébus éd. (1990)

BIBLIOGRAPHIE:

Chronique de la France et des Français, Larousse Ed. 1987.
Les Chemins de Fortune, Phoebus Ed., 1990.
Héritage du Canada, Reader's Digest Ed., 1979.
Larousse canadien des noms propres, Larousse Ed., 1990.
Les vrais mystères de la mer, France-Empire Ed., 1965.
Le Vaisseau Fantôme, Presses de l'Université Laval, 1970.
Dictionnaire Gruss de marine. M.O.M. Ed., 1978.
Les tarets, fléaux des constructions maritimes, P.U.M., 1934.

Achevé d'imprimer
en avril 1993 sur les presses
des Ateliers Graphiques Marc Veilleux Inc.
Cap-Saint-Ignace, Qué.